tricots pour bébés

MODES
&TRAVAUX

photographies de Jean-François Chavanne

tricots pour bébés

MADE IN **MARABOUT**
100 % CRÉATEUR

avant-propos

Demain bébé sera là... Pour préparer son arrivée tout en douceur, tricotons la tendresse, des couleurs pastel fondantes d'un bébé très sage. Fermez les yeux...
Le voilà qui gazouille et gigote dans son nid d'ange ? Les couleurs se font plus franches, plus affirmées. Gardez les yeux fermés encore un peu et imaginez-le quelques mois plus tard. À quatre pattes, il découvre le monde, l'herbe, la terre dans des couleurs très nature. Puis, enfin debout comme un grand, fier comme Artaban, il met la layette au goût du jour avec des couleurs acidulées et plein soleil.
Bébé baroudeur, bébé voyageur, bébé écolo, bébé très sage... Quelles seront vos envies pour votre nouveau-né ? Alors ouvrez les yeux, et comptez les mailles en attendant le grand jour.

Patricia Wagner
rédactrice en chef de Modes & Travaux

sommaire

★ les étoiles signalent le niveau de difficulté des modèles.

bébés "tous terrains"

le lutin irlandais

le lutin irlandais

Une panoplie torsadée tout droit venue des paysages où s'ébattent lutins et farfadets

Le pull ★★

Tailles
(3 mois) 6 mois [12 mois]

Fournitures
Laines Phildar :
• Qualité Super Baby (70 % acrylique et 30 % laine d'agneau –
25 g = 107 m) coloris Olive/110.
3 mois : 150 g
6 mois : 150 g
12 mois : 200 g
6 boutons
Aig. n° 3 1/2 et 4
Une aig. à 2 pointes

Points employés
Côtes 2/2 : 2 m. endr., 2 m. env.
Point de blé : 1er rg : *1 m. endr., 1 m. env.*, répéter de *à *.
2e rg : tric. les m. comme elles se présentent. 3e rg : *1m. env.,
1 m. endr.*. 4e rg : comme le 2e rg. Répéter ces 4 rgs.
Torsades : elles se font sur 34 m. en suiv. la grille. Tric. la petite
torsade de ch. côté sur 6 rgs, et celle du milieu du 8 rgs.
4 mailles croisées à droite : glisser 2 m. sur l'aig. auxil. que
l'on place derrière le trav., tric. à l'endr. les 2 m. suiv. puis les
2 m. de l'aig. auxil.
4 mailles croisées à gauche : glisser 2 m. sur l'aig. auxil. que
l'on place devant le trav., tric. à l'endr. les 2 m. suiv. puis les
2 m. de l'aig. auxil.

Échantillons
Un carré de 10 cm en point de blé avec le fil tric. en double
et les aig. n° 4 = 22 m. et 33 rgs.
Torsades : 14 cm.

Réalisation
Le fil est toujours tricoté en double.

• Dos
Monter (54) 58 [62] m. sur les aig. n° 31/2, et tric. 2 cm en côtes
doubles. Avec les aig. n° 4, cont. ainsi : (10) 12 [14] m. en point de
blé, les 34 m. des torsades et (10) 12 [14] m. en point de blé.
À (15) 17 [19] cm de haut. tot., pour les emmanchures, rab. de ch.
côté, ts les 2 rgs, 1 fs 3 m. et 2 fs 1 m.
À (24) 27 [30] cm de haut. tot., pour l'encolure, rab. les (22)
24 [26] m. du milieu, et term. chaque côté séparément.
À (25) 28 [31] cm de haut. tot., cont. en côtes 2/2 sur les (11)
12 [13] m. restantes en comm. par 1 m. env.
À (27) 30 [33] cm de haut. tot., pour l'épaule, rab. les m. en les
tric. comme elles se présentent.

• Devant
Commencer comme le dos.
À (21) 24 [27] cm de haut. tot., pour l'encolure, fermer les
(8) 10 [12] m. du milieu et term. ch. côté séparément, en rab. côté
encolure, ts les 2 rgs, 1 fs 3 m., 1 fs 2 m. et 2 fs 1 m.
À (23) 26 [29] cm de haut. tot., cont. en côtes 2/2 sur les (11) 12
[13] m. restantes, en formant au 3e rg, 2 boutonnières de 2 m.,
la 1re à 2 m. du bord, et la suiv. espacée de (3) 4 [4] m.
À (25) 28 [31] cm de haut. tot., pour l'épaule, rabattre les m.

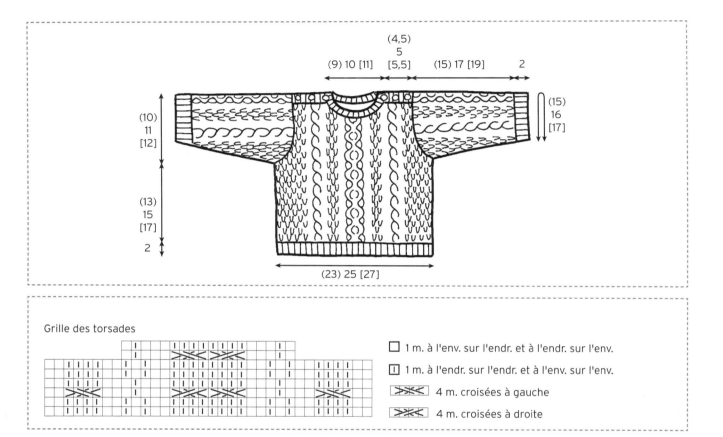

Grille des torsades

☐ 1 m. à l'env. sur l'endr. et à l'endr. sur l'env.

Ⅰ 1 m. à l'endr. sur l'endr. et à l'env. sur l'env.

⟩⟩⟨ 4 m. croisées à gauche

⟩⟨⟨ 4 m. croisées à droite

• **Manches**

Monter (36) 38 [40] m. sur les aig. n° 31/2 et tric. 2 cm en côtes doubles. Avec les aig. n° 4, cont. ainsi : (1) 2 [3] m. en point de blé, les 34 m. des torsades et (1) 2 [3] m. en point de blé. Augm. de ch. côté (6) 7 [8] fs 1 m. ts les 6 rgs.

À (15) 17 [19] cm de haut. tot., rab. de ch. côté, ts les 2 rgs, 1 fs 3 m. et 2 fs 1 m. puis rab. les (38) 42 [46] m. rest.

Finitions

Relever au bord de l'encolure du devant, (24) 26 [30] m. sur les aig. n° 3 1/2, et tric. 2 cm en côtes 2/2, en comm. par (1 m. env.) 2 m. endr. [2 m. endr.] et en formant au 2ᵉ rg, une boutonnière de 2 m. à 2 m. des bords, puis rab. les m. en les tric. comme elles se présentent.

Relever au bord de l'encolure du dos, (34) 36 [40] m. sur les aig. n° 3 1/2, et tric. 2 cm en côtes 2/2 en comm. par (2 m. endr.) 1 m. env. [1 m. env.], puis rab. les m.

Superposer les côtes des épaules et les coudre côté épaule. Monter les manches et les fermer ainsi que les côtés du pull. Coudre les boutons sur les épaules du dos.

Le pantalon ★★

Tailles
(3 mois) 6 mois [12 mois]

Fournitures
Laines Phildar :
• Qualité Super Baby (70 % acrylique et 30 % laine d'agneau – 25 g = 107 m) coloris Olive/110 et Renne/123
3 mois : 150 g Renne et 50 g Olive
6 mois : 200 g Renne et 50 g Olive
12 mois : 200 g Renne et 50 g Olive

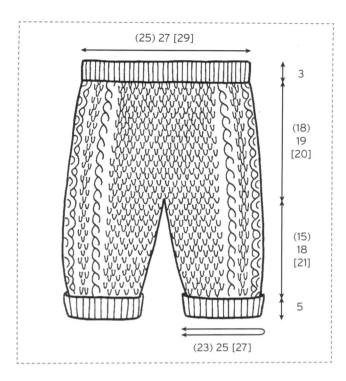

(25) 27 [29]

3

(18)
19
[20]

(15)
18
[21]

5

(23) 25 [27]

Aig. n° 3 1/2 et 4
Une aig. à 2 pointes.

Points employés

Côtes 1/1 : 1 m. endr., 1 m. env.
Côtes 2/2 : 2 m. endr., 2 m. env.
Point de blé : 1er rg : *1 m. endr., 1 m. env.*, répéter de * à *.
2e rg : tric. les m. comme elles se présentent. 3e rg : *1m. env.,
1 m. endr.*. 4e rg : comme le 2e rg. Répéter ces 4 rgs.
Torsades : suivre la grille du pull.

Échantillon

Voir le pull.

Réalisation

Le fil est toujours tricoté en double.

• Jambes

Monter (54) 58 [62] m. Olive sur les aig. n° 3 1/2, et tric. 5 cm en
côtes doubles. Avec les aig. n° 4 et le col. Renne, cont. ainsi : (10)
12 [14] m. en point de blé, les 34 m. des torsades et (10) 12 [14]
m. en point de blé. Augm. de ch. côté (7 fs 1 m. ts les 6 rgs) 7 fs 1
m. ts les 8 rgs [4 fs 1 m. ts les 8 rgs et 3 fs 1 m. ts les 10 rgs].
À (20) 23 [26] cm de haut. tot., pour l'entrejambe, rab. de ch.
côté, ts les 2 rgs : 1 fs 2 m. et 3 fs 1 m. puis cont. droit.

À (38) 42 [46] cm de haut. tot., tric. 3 cm en côtes 1/1 avec les
aig. n° 3 1/2, puis rab. les m. en les tric. comme elles se
présentent.
Tricoter une 2e jambe sembl.

• Finitions

Assembler les jambes par les coutures du dos et du devant.
Fermer les jambes en inversant le sens de la couture à mi-hauteur
des côtes du bas pour le revers.
Passer quelques rangées de latex dans les côtes du haut.

Le bonnet ★★

Tailles

(3 mois) 6 mois [12 mois]

Fournitures

Laines Phildar :
• Qualité Super Baby (70 % acrylique et 30 % laine d'agneau –
25 g = 107 m) coloris Olive/110 et Renne/123.
Pour les 3 tailles : 50 g Renne et 50 g Olive

Aig. n° 3 1/2 et 4
Une aig. à 2 pointes.

Points employés
Voir le pull.

Échantillon
Voir le pull.

Réalisation
Le fil est toujours tricoté en double.
Monter (38) 42 [46] m. Olive sur les aig. n° 3 1/2 et tric. 5 cm en côtes doubles. Avec les aig. n° 4 et le col. Renne, cont. ainsi : (2) 4 [6] m. en point de blé, les 34 m. des torsades et (2) 4 [6] m. en point de blé.
À (18) 19 [20] cm de haut. tot, rab. les m.
Tricoter un 2e morceau semblable.

Finitions
Assembler les deux morceaux en inversant le sens de la couture à mi-hauteur des côtes pour le revers.
Préparer 2 pompons, avec pour chacun, 17 brins Olive de 16 cm, et les coudre en haut et de chaque côté du bonnet.

L'écharpe et les moufles ★

Fournitures
Laines Philda :
• Qualité Super Baby (70 % acrylique et 30 % laine d'agneau – 25 g = 107 m) : coloris Olive/110 et Renne/123
L'ensemble : 50 g Olive ou Renne et 10 g du 2e coloris.
Aig. n° 3 1/2 et 4.

Points employés
Côtes 2/2 : 2 m. endr., 2 m. env.
Point de blé : 1er rg : *1 m. endr., 1 m. env.*, répéter de * à *.
2e rg : tric. les m. comme elles se présentent. 3e rg : *1 m. env., 1 m. endr.*. 4e rg : comme le 2e rg. Répéter ces 4 rgs.

Échantillon
Un carré de 10 cm en point de blé avec le fil tric. en double et les aig. n° 4 = 22 m. et 33 rgs.

Réalisation
Le fil est toujours tricoté en double.

• **Écharpe**
Monter 18 m. Olive ou Renne sur les aig. n° 4 et tric. (68) 73 [78] cm en point de blé, puis rab. les m.
Préparer 4 pompons, avec pour chacun, 17 brins de 16 cm dans le 2e coloris, et les coudre à chaque extrémité.

• **Moufles**
Monter (16) 18 [18] m. Olive sur les aig. n° 3 1/2, et tric. 3 cm en côtes 2/2. Continuer en point de blé avec les aig. n° 4 et le col. Olive ou Renne, tric. 5 cm, puis dim. de ch. côté (4) 5 [5] fs 1 m. ts les 2 rgs et rab. les 8 m. restantes.
Tric. un 2e morceau semblable, puis les assembler.
Faire 2 glands Renne ou Olive et en coudre un sur chaque moufle.

à l'heure anglaise

Une élégance « so british » aux couleurs de lande et de bruyère.

La veste à capuche ★★

Tailles
(3 mois) 6 mois [12 mois]

Fournitures
Laines Phildar :
• Qualité Quiétude (50 % laine peignée et 50 % acrylique - 50 g = 90 m), coloris Kraft/101.
• Qualité Pure laine (100 % laine – 50 g = 108 m) coloris Romarin/304.
• Qualité Super Baby (70 % acrylique et 30 % laine d'agneau – 25 g = 107 m), coloris Bruyère/112.
• Qualité Phil'Laine (51 % laine et 49 % acrylique – 50 g = 126 m), coloris Maïs/055.
3 mois : 150 g Kraft et quelques g des 3 autres coloris.
6 mois : 200 g Kraft et quelques g des 3 autres coloris.
12 mois : 200 g Kraft et quelques g des 3 autres coloris.
Aig. n° 4.

Points employés
Jersey endroit : 1 rg endr., 1 rg env.
Point de riz fantaisie : 1er rg : 1 m. endr., *1 m. glissée à l' env., 1 m endr.*, répéter de * à *. 2e rg : *1 m endr., passer le fil devant le trav., 1 m. glissée à l'env.*, 1 m endr. 3e rg : 1 m. endr., *1 m. endr. 1 m. glissée à l' env.*. 4e rg : passer le fil devant le trav., *1 m. glissée à l' env., 1 m endr.*, 1 m. endr. Répéter ces 4 rgs.
Point de riz : 1er rg : *1 m endr., 1 m env.*, répéter de * à * 2e rg : *1 m env., 1 m endr.*. Répéter ces 2 rgs.
Surjet simple (s.s.) : glisser 1 m. sans la tric., tric. la m. suiv. à l'endr. et rab. la m. glissée sur la m. tric.

Échantillon
Carré de 10 cm en jersey endr. avec le col. Kraft et les aig. n° 4 = 19 m. et 27 rgs.

Réalisation
Le dos et les devants sont tric. ensemble.
Monter (89) 97 [105] m. Kraft sur les aig., et tric. 8 rgs en point de riz fantaisie en altern. 2 rgs Romarin, 2 rgs Bruyère, 2 rgs Maïs et 2 rgs Kraft, puis cont. en jersey endr.
À (14) 16 [18] cm de haut. tot., comm. les raglans. Pour le devant droit, ne cont. que sur les (23) 25 [27] premières m. et laisser les autres m. en attente. Pour le raglan, rab. 1 fs 3 m., puis former à 1 m. du bord, (10 fs 1 dim. ts les 2 rgs) 11 fs 1 dim. ts les 2 rgs [11 fs 1 dim. ts les 2 rgs et 1 fs 1 dim. ts les 4 rgs]. Pour les dim., faire 1 s.s.
À (19) 22 [25] cm de haut. tot., pour l'encolure, rab. à droite, ts les 2 rgs, (2 fs 3 m. et 1 fs 2 m.) 1 fs 4 m., 1 fs 3 m. et 2 fs 1 m. [2 fs 4 m. et 2 fs 1 m.], puis rab. les 2 m. rest. après la dern. dim. du raglan.
Pour le devant gauche, reprendre les (23) 25 [27] m. de gauche et term. en vis-à-vis en tric. 2 m. ens. pour les dim.
Pour le dos, reprendre les (43) 47 [51] m. rest. au milieu, rab. 1 fs 3 m. de ch. côté, puis former à 1 m. des bords, (10 fs 1 dim. ts les 2 rgs et 1 fs 1 dim. ts les 4 rgs) 11 fs 1 dim. ts les 2 rgs et 1 fs 1 dim. ts les 4 rgs [11 fs 1 dim. ts les 2 rgs et 2 fs 1 dim. ts les 4 rgs]. À droite, tric. 2 m. ens., et à gauche, faire 1 s.s. Après la dern. dim., rab. les (15) 17 [19] m. rest.

• Manche droite
Monter (27) 29 [31] m. Kraft sur les aig., et tric. 8 rgs en point de riz fantaisie puis cont. en jersey endr. en augm. de ch. côté (4 fs 1m. ts les 4 rgs et 2 fs 1 m. ts les 6 rgs) 4 fs 1 m. ts les 4 rgs et 3 fs 1 m. ts les 6 rgs [5 fs 1 m. ts les 4 rgs et 3 fs 1 m. ts les 6 rgs].
À (15) 17 [19] cm de haut. pour les raglans, rab. de ch. côté, 1 fs 3 m. puis former à droite les même dim. qu'au devant et à gauche, les mêmes dim. qu'au dos. Après la dern. dim. du devant, rab. à droite, 2 fs. 6 m. ts les 2 rgs.

• Manche gauche
Elle se tric. en vis-à-vis de la manche droite.

• Capuche
Monter (64) 68 [72] m. Kraft sur les aig., et tric. en jersey endr. À (16) 17 [18] cm de haut. tot., rab. de ch. côté, ts les 2 rgs, 2 fs 10 m., puis les (24) 28 [32] m. rest.

• Poches
Monter 16 m. Kraft sur les aig., et tric. 6 cm en jersey endr., puis 1,5 cm en point de riz et rab. les m. en les tric. comme elles se présentent.

Finitions
Monter les manches et les fermer.
Fermer la capuche et la monter sur l'encolure.
Relever avec les aig. et le coloris Kraft, (47) 54 [62] m. au bord du devant droit, puis (63) 67 [71] m. au bord de la capuche, et (47) 54 [62] m. au bord du devant gauche. Tric. 8 rgs en point de riz fant. ainsi en altern. 2 rgs Maïs, 2 rgs Azalée, 2 rgs

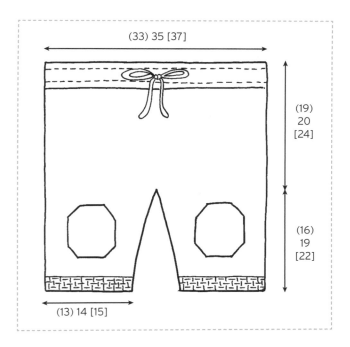

(33) 35 [37]

(19) 20 [24]

(16) 19 [22]

(13) 14 [15]

6 mois : 200 g Romarin et quelques g des 5 autres coloris.
12 mois : 250 g Romarin et quelques g des 5 autres coloris.
Aig. n° 3 et 3 1/2.

Points employés

Jersey endroit : 1 rg endr., 1 rg env.
Point de riz fantaisie : 1er rg : 1 m. endr., *1 m. glissée à l' env., 1 m endr.*, répéter de * à *. 2e rg : *1 m. endr., passer le fil devant le trav., 1 m. glissée à l'env.*, 1 m. endr.*. 3e rg : 1 m. endr., *1 m. endr., 1 m. glissée à l' env.*. 4e rg : passer le fil devant le trav., *1 m. glissée à l' env., 1 m endr.*, 1 m. endr. Répéter ces 4 rgs.
Surjet simple (s.s.) : glisser 1 m. sans la tric., tric. la m. suiv. à l'endr. et rab. la m. glissée sur la m. tric.
Augmentation : tric. 1 m. torse en piquant l'aig. sous le fil qui relie 2 m.

Échantillon

Carré de 10 cm en jersey endr. avec le col. Romarin et les aig. n° 3 1/2 = 21 m. et 28 rgs.

Réalisation

• Devant

Commencer par la jambe droite.
Monter (28) 30 [32] m. Romarin sur les aig. n° 3 1/2, et tric. 12 rgs en point de riz fantaisie en altern. 2 rgs Bruyère, 2 rgs Maïs, 2 rgs Kraft, 2 rgs Chameau, 2 rgs Azalée, 2 rgs Romarin, puis cont. en jersey endr. en augm. à droite (4 fs 1 m. ts les 4 rgs et 3 fs 1 m. ts les 6 rgs) 7 fs 1 m. ts les 6 rgs [3 fs 1 m. ts les 6 rgs et 4 fs 1 m. ts les 8 rgs].
À (16) 19 [22] cm de haut. tot., laisser les (35) 37 [39] m. obtenues en attente.
Tric. la jambe gauche en vis-à-vis, puis reprendre à la suite les m. de la 1re jambe et cont. sur les (70) 74 [78] m. obtenues
À (33) 37 [45] cm de haut. tot., former 2 œillets ainsi : tric. (30) 32 [34] m. endr., 2 m. ens., 1 jeté, 6 m. endr., 1 jeté, 2 m. ens. et (30) 32 [34] m. Au rg suiv., tric. les jetés à l'env.
À (39) 43 [50] cm de haut. tot., rab. les m.

• Dos

Il se tric. comme le devant mais sans former les œillets.

• Genouillères

Monter 10 m. Bruyère sur les aig. n° 3, et tric. en jersey endr., en augm. de ch. côté, à 2 m. des bords, 4 fs 1 m. ts les 2 rgs.
À 6 cm de haut. tot., former de ch. côté, à 2 m. des bords, 4 fs 1 dim. ts les 2 rgs. A droite, faire 1 s.s. et à gauche, tric. 2 m. ens. à l'endr., puis rab. les 10 m. rest.

Romarin et 2 rgs Kraft : 1er rg : 1 m. env., *1 m. glissée à l'env., 1 m env.*, répéter de * à *. 2e rg : *1 m. env., passer le fil derrière le trav., 1 m. glissée à l'env.*, 1 m. env. 3e rg : 1 m. env., *1 m. env., 1 m. glissée à l'env.*. 4e rg : *1 m. glissée à l' env., 1 m env., passer le fil derrière le trav.*, 1 m. env. Répéter ces 4 rgs.
En même temps, au 2e rg, former 4 boutonnières de 2 m. sur le devant droit, la 1re à (3) 2 [3] m. du bord, et les suiv. espacées de (11) 14 [16] m. Rab. les m. en les tric. comme elles se présentent.
Coudre une poche au milieu de chaque devant et à 2,5 cm du bas.
Coudre les boutons sur le devant gauche.

Le pantalon ★

Tailles
(3 mois) 6 mois [12 mois]

Fournitures
Laines Phildar :
• Qualité Pure laine (100 % laine – 50 g = 108 m) coloris Romarin/304 et Chameau/306.
Qualité Super Baby (70 % acrylique et 30 % laine d'agneau – 25 g = 107 m), coloris Bruyère/112, Azalée/103 et Renne/123.
• Qualité Phil'Laine (51 % laine et 49 % acrylique – 50 g = 126 m), coloris Maïs/055.
3 mois : 150 g Romarin et quelques g des 5 autres coloris.

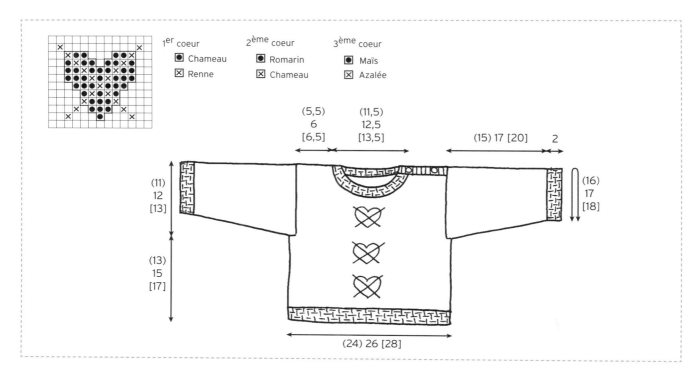

1er coeur
- ◉ Chameau
- ☒ Renne

2ème coeur
- ◉ Romarin
- ☒ Chameau

3ème coeur
- ◉ Maïs
- ☒ Azalée

Finitions

Coudre les genouillères sur le devant, au milieu des jambes et à (5) 7 [9] cm du bas.

Assembler le dos et le devant. Replier le haut du pantalon sur l'envers sur 4 cm, puis faire une piqûre à la machine, au-dessus et au-dessous des œillets et une autre espacée de 1 cm. Faire une cordelière avec un brin de laine coloris Romarin de 310 cm et la passer dans la coulisse.

Le pull ★★

Tailles

(3 mois) 6 mois [12 mois]

Fournitures

Laines Phildar :
- Qualité Super Baby (70 % acrylique et 30 % laine d'agneau – 25 g = 107 m), coloris Bruyère/112, Azalée/103 et Renne/123.
- Qualité Pure laine (100 % laine – 50 g = 108 m) coloris Romarin/304 et Chameau/306.
- Qualité Phil'Laine (51 % laine et 49 % acrylique – 50 g = 126 m), coloris Maïs/055.

3 mois : 100 g Bruyère et quelques g des 5 autres coloris.
6 mois : 100 g Bruyère et quelques g des 5 autres coloris.
12 mois : 150 g Bruyère et quelques g des 5 autres coloris.
2 boutons.
Aig. n° 3.

Points employés

Jersey endroit : 1 rg endr., 1 rg env.
Côtes 1/1 : 1 m. endr., 1 m. env.
Point de riz : 1er rg : *1 m endr., 1 m env.*, répéter de * à *.
2e rg : *1 m env., 1 m endr.*. Répéter ces 2 rgs.
Broderie : elle se fait au point de m. en recouvrant chaque m. de 2 points en V pour la reformer.

Échantillon

Carré de 10 cm en jersey endr. avec le col. Bruyère et les aig. n° 3 = 28 m. et 37 rgs

Réalisation

● Dos

Monter (67) 73 [79] m. Bruyère sur les aig. n° 3, et tric. 2 cm en point de riz, puis cont. en jersey endr. À (13) 15 [17] cm de haut. tot., pour les emmanchures, rab. de ch. côté, 1 fs 2 m.
À (23) 26 [29] cm de haut. tot., pour l'encolure, rab. les (17) 19 [23] m. du milieu et cont. sur les m. de gauche. Rab. à droite, 1 fs 8 m., puis cont. sur les (15) 17 [18] m. rest.
À (24) 27 [30] cm de haut. tot., pour l'épaule, laisser en attente les (15) 17 [18] m. rest.
Reprendre les m. de droite, et term. ce côté en vis-à-vis mais en rab. les m. de l'épaule.

● Devant

Commencer comme le dos.

les m. en les tric. comme elles se présentent. Tric. la même bordure sur l'épaule du devant mais en formant 2 boutonnières de 2 m., la 1re à (6) 6 [7] m. du bord et la suiv. espacée de (8) 9 [10] m., puis rab. les m. en les tric. comme elles se présentent. Superposer les côtes de l'épaule et les assembler côté emmanchure.

Monter les manches et les fermer ainsi que les côtés du pull. Coudre les boutons en vis-à-vis des boutonnières.

Le béret ★★

Taille
12 mois

Fournitures
Laines Phildar :
• Qualité Phil' Laine (51 % laine et 49 % acrylique – 50 g = 126 m), coloris Maïs/055.
• Qualité Super Baby (70 % acrylique et 30 % laine d'agneau – 25 g = 107 m), coloris Bruyère/112, Azalée/103 et Renne/123.
Qualité Pure laine (100 % laine – 50 g = 108 m) coloris Romarin/304 et Chameau/306.
Il faut 50 g Maïs et quelques g des 5 autres coloris.
Aig. n° 3 1/2.
5 aig. à 2 pointes n° 3 1/2.

Points employés
Jersey endroit en rond : tric. ts les rgs à l' endr.
Point de riz fantaisie : 1er rg : 1 m. endr., *1 m. glissée à l' env., 1 m endr.*, répéter de * à *. 2e rg : *1 m. endr., passer le fil devant le trav., 1 m. glissée à l'env.*, 1 m. endr. 3e rg : 1 m. endr., *1 m. endr., 1 m. glissée à l' env.*. 4e rg : passer le fil devant le trav., *1 m. glissée à l' env., 1 m endr.*, 1 m. endr. Répéter ces 4 rgs.
Augmentation : tric. 1 m. torse en piquant l'aig. sous le fil qui relie 2 m.
Double diminution : glisser 2 m. en les prenant comme pour les tric. ens. à l'endr., puis tric. 1 m. endr. et rab. les 2 m. glissées sur la m. tric.

Échantillon
Carré de 10 cm en jersey endr. avec le fil Maïs et les aig. n° 3 1/2 = 23 m. et 30 rgs.

Réalisation
Monter 110 m. Romarin sur les aig. et tric. 16 rgs en point de riz fantaisie, en altern. 2 rgs Bruyère, 2 rgs Maïs, 2 rgs Renne, 2 rgs Chameau, 2 rgs Azalée, 2 rgs Romarin, 2 rgs Bruyère et 2 rgs

À (19) 22 [25] cm de haut. tot., pour l'encolure, rab. les (11) 13 [17] m. du milieu et cont. sur les m. de gauche en rab. à droite, ts les 2 rgs, 2 fs 3 m., 1 fs 2 m. et 3 fs 1 m.
À (24) 27 [30] cm de haut. tot., pour l'épaule, rab. les (15) 17 [18] m. rest.
Reprendre les m. de droite et term. l'encolure en vis-à-vis.
À (23) 26 [29] cm de haut. tot., pour l'épaule, laisser en attente les (15) 17 [18] m. rest.

• Manches
Monter (45) 48 [50] m. Bruyère sur les aig. n° 3, et tric. 2 cm en point de riz, puis cont. en jersey endr. en augm. de ch. côté (5 fs 1 m. ts les 4 rgs et 5 fs 1 m. ts les 6 rgs) 5 fs 1 m. ts les 4 rgs et 6 fs 1 m. ts les 6 rgs [5 fs 1 m. ts les 4 rgs et 8 fs 1 m. ts les 6 rgs].
À (17) 19 [22] cm de haut. tot., rab. les (65) 70 [76] m. obtenues.

Finitions
Broder 3 cœurs au milieu du devant, le 1er à (3,5) 4 [4,5] cm du bas et les suiv. espacés de (2,5) 3,5 [4,5] cm.
Coudre l'épaule droite.
Relever autour de l'encolure, (70) 76 [82] m. Bruyère sur les aig. n° 3, et tric. 2 cm en point de riz, puis rab. les m. en les tric. comme elles se présentent.
Relever 6 m. Bruyère sur la bordure d'encolure du dos, puis reprendre les m. de l'épaule et tric. 1,5 cm en côtes 1/1, puis rab.

Monter 110 m. Romarin sur les aig. et tric. 16 rgs en point de riz fantaisie, en altern. 2 rgs Bruyère, 2 rgs Maïs, 2 rgs Renne, 2 rgs Chameau, 2 rgs Azalée, 2 rgs Romarin, 2 rgs Bruyère et 2 rgs Maïs. Rab. 1 m. de ch. côté au dern. rg, puis placer les m. sur 4 aig. et cont. en jersey endr. en tournant en répart. 12 augm. sur 1 rg ainsi : tric. 9 m., *1 augm., 1m., 1 augm., 17 m.*, répéter de * à * 5 fs au total, 1 augm., 1 m., 1 augm. et 8 m. Répéter ces augm. 4 rgs au-dessus, puis tric. 4 rgs sur les 132 m. obtenues, et comm. les dim. ainsi : 10 m. *1 dble dim., 19 m.*, répéter de * à * 5 fs au total, 1 dble dim. et 9 m. Répéter ces dim. encore 2 fs ts les 4 rgs, 3 fs ts les 3 rgs et 4 fs ts les 2 rgs. Au rg suiv., tric. les m. ens. 2 par 2, puis couper le fil, le passer dans les 6 m. rest. et serrer pour fermer.
Fermer la bordure du bonnet.
Faire un petit pompon Azalée de 3 cm de diamètre et le coudre en haut du béret.

Les chaussons ★★

Tailles
3 mois (6 mois)

Fournitures
Laines Phildar :
• Qualité Super Baby (70 % acrylique et 30 % laine d'agneau – 25 g = 107 m), coloris Renne/123, Bruyère/112, et Azalée/103. Qualité Phil'Laine (51 % laine et 49 % acrylique – 50 g = 126 m), coloris Maïs/055.
• Qualité Pure laine (100 % laine – 50 g = 108 m) coloris Romarin/304 et Chameau/306.
3 mois : 15 g Renne et quelques g des 5 autres coloris.
6 mois : 20 g Renne et quelques g des 5 autres coloris.
Aig. n° 3.

Points employés
Jersey endroit : 1 rg endr., 1 rg env.
Point de riz : 1er rg : *1 m endr., 1 m env.*, répéter de * à * 2e rg : *1 m env., 1 m endr.*. Répéter ces 2 rgs.
Point de riz fantaisie : voir le béret.
Surjet simple (s.s.) : glisser 1 m. sans la tric., tric. la m. suiv. à l'endr. et rab. la m. glissée sur la m. tric.

Réalisation
Monter 38 (44) m. Romarin sur les aig. et tric. 14 rgs en point de riz fantaisie en altern. 2 rgs Bruyère, 2 rgs Maïs, 2 rgs Renne, 2 rgs Chameau, 2 rgs Azalée, 2 rgs Romarin, et 2 rgs Renne.
En même temps, former 1 augm. de ch. côté et de ch. côté des

2 m. du milieu, ceci 5 fs ts les 2 rgs. Cont. en jersey endr. sur les 58 (64) m. obtenues. Tric. 18 (20) rgs, puis couper le fil. Laisser les 23 (25) m. de ch. côté en attente et pour le dessus du pied, ne cont. que sur les 12 (14) m. du milieu. Tric. *11 (13) m., puis glisser la m. suiv., tric. la 1re des m. en attente, et rab. la m. glissée sur la m. tric., tourner*, répéter de * à * jusqu'à ce qu' il ne reste que 16 (18) m. en attente de ch. côté. Couper le fil. Reprendre les 16 (18) m. de droite, puis à la suite, les 12 (14) m. du dessus de pied et les 16 (18) m. de gauche. Tric. 2 cm en jersey endr., puis 1 cm en point de riz et rab. les m.
Tric. un 2e chausson semblable.

Finitions
Rentrer les fils, puis fermer la semelle et le dos du chausson.
Faire 2 cordelières avec un brin de laine col. Romarin de 160 cm et les passer dans le haut des chaussons comme un lacet.
Faire 4 petits pompons Azalée et les fixer à chaque extrémité des cordelières.

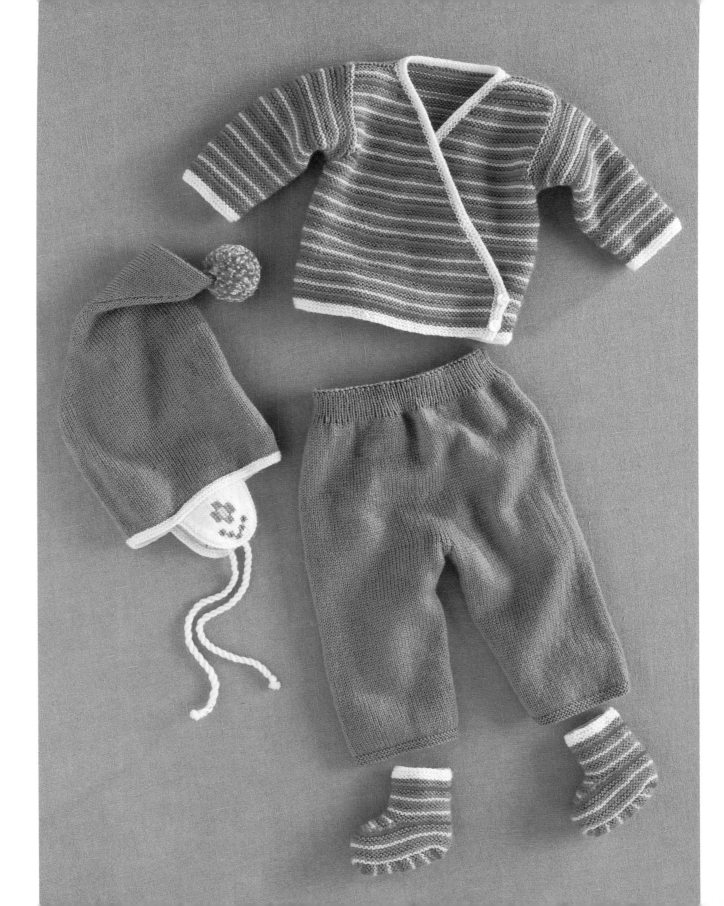

un p'tit air folklo

un p'tit air folklo

Cache-cœur rayé et pull brodé à associer avec un pantalon kaki… trop tendance !

Points employés

Jersey endroit : 1 rg endr., 1 rg env.
Point mousse : tric. ts les rgs à l'endr.
Surjet simple (s.s.) : glisser 1 m. sans la tric., tric. la m. suiv. à l'endr. et rab. la m. glissée sur la m. tric.
Motifs : ils sont brodés au point de croix, sur 1 m. et 1 rg du trav.

Échantillons

Carré de 10 cm en jersey endr. avec les aig. n° 3 = 30 m. et 40 rgs.
Carré de 10 cm en jersey endr. et point mousse avec les aig. n° 3 = 30 m. et 46 rgs.

Réalisation

• Dos

Monter (68) 74 [80] m. Écru sur les aig., et tric. 4 rgs en point mousse, puis cont. en jersey endr.
À (15) 18 [21] cm de haut. tot., pour la fente, rab. les 2 m. du milieu et cont. sur les m. de gauche.
À (24) 27 [30] cm de haut. tot., pour l'encolure, rab. à droite, ts les 2 rgs, 1 fs (10) 11 [13] m. et 1 fs 4 m.
À (25) 28 [31] cm de haut. tot., pour l'épaule, rab. les (19) 21 [22] m. restantes.
Reprendre les m. de droite et term. ce côté en vis-à-vis.

Le pull brodé ★★

Tailles
(3 mois) 6 mois [12 mois]

Fournitures
Laines Phildar :
• Qualité Super Baby (70 % acrylique et 30 % laine d'agneau – 25 g = 107 m), coloris Écru/085, Azalée/103, Mangue/104, Olive/110 et Grenadine/119.
• Qualité Phil 'luxe (85 % acrylique et 15 % laine – 50 g = 201 m), coloris Rouge/018 et Bengale/034.
Pour les 3 tailles : 100 g Écru et quelques g des autres coloris.
3 boutons.
Une aiguille à bout rond.
Aig. n° 3.

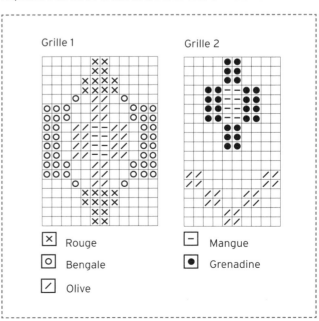

Grille 1   Grille 2

⊠ Rouge   ⊟ Mangue

◎ Bengale   ⦿ Grenadine

⧄ Olive

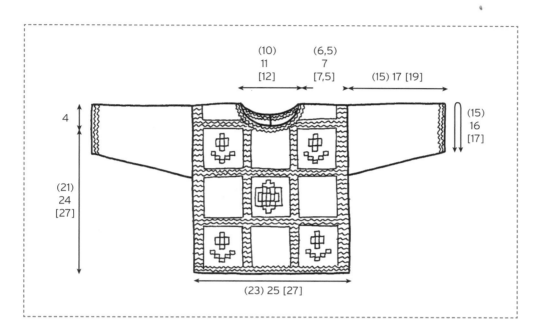

(10) 11 [12]   (6,5) 7 [7,5]   (15) 17 [19]

4

(21) 24 [27]

(15) 16 [17]

(23) 25 [27]

• Devant

Commencer comme le dos.

Après les 4 rgs en point mousse, cont. ainsi : 4 m. en point mousse, *(18) 20 [22] m. en jersey endr., 3 m. en point mousse*, répéter de * à * encore 2 fois en term. par 4 m. en point mousse.

Tric. ainsi : (26) 28 [30] rgs, puis 6 rgs en point mousse sur toutes les m. Répéter ces (32) 34 [36] rgs sur toute la hauteur du pull.

À (21) 24 [27] cm de haut. tot., pour l'encolure, fermer les (10) 12 [16] m. du milieu et term. ch. côté séparément, en rab. côté encolure, ts les 2 rgs, 1 fs 3 m, 2 fs 2 m. et 3 fs 1 m.

À (25) 28 [31] cm de haut. tot., pour l'épaule, rab. les (19) 21 [22] m. restantes.

• Manches

Monter (46) 48 [50] m. Écru sur les aig., et tric. 4 rgs en point mousse, puis cont. en jersey endr. en augm. de ch. côté (5) 7 [9] f. 1 m. ts les 4 rgs et 5 fs 1 m. ts les 6 rgs.

À (15) 17 [19] cm de haut. tot., rab. les (66) 72 [78] m. obtenues.

Finitions

Broder les motifs sur le devant, au milieu des carrés en jersey, le n° 1 sur le carré du milieu, puis un motif n° 2 à chaque coin.

Fermer les épaules.

Relever autour de l'encolure, (76) 84 [92] m. Écru sur les aig., et tric. 4 rgs en point mousse, puis rab. les m.

Relever sur le bord gauche de la fente, 33 m. Écru sur les aig., et tric. 4 rgs en point mousse, en formant au 2ᵉ rg, 3 boutonnières de 2 m, la 1re à 4 m. du bord et les suiv. espacées de 9 m, puis rab. les m.

Tric. la même bordure sur le bord droit mais sans former les boutonnières.

Superposer les bandes de boutonnage et coudre la base.

Monter les manches et les fermer.

Fermer les côtés du pull.

Coudre les boutons en vis-à-vis des boutonnières.

Le pantalon ★

Tailles

(3 mois) 6 mois [12 mois]

Fournitures

Laines Phildar :

• Qualité Super Baby (70 % acrylique et 30 % laine d'agneau – 25 g = 107 m), coloris Olive/110.

3 mois : 100 g.

6 mois : 100 g.

12 mois : 150 g.

Aig. n° 2 1/2 et 3.

Points employés

Côtes simples : 1 m. endr., 1 m. env.
Jersey endroit : 1 rg endr., 1 rg env.
Point mousse : tric. ts les rgs à l'endr.
Surjet simple (s.s.) : glisser 1 m. sans la tric., tric. la m. suiv.
à l'endr. et rab. la m. glissée sur la m. tric.

Échantillon

Carré de 10 cm en jersey endr. avec les aig. n° 3 = 30 m. et 40 rgs.

Réalisation

• Devant

Commencer par la jambe droite.
Monter (36) 39 [42] m. sur les aig. n° 3 et tric. 4 rgs en point
mousse, puis cont. en jersey endr. en augm. à droite (9 fs 1 m. ts
les 6 rgs) 9 fs 1 m. altern. ts les 6 et 8 rgs [9 fs 1 m. altern. ts les
8 et 10 rgs].
À (17) 20 [23] cm de haut. tot., laisser les (45) 48 [51]
m. obtenues en attente.
Tric. la jambe gauche en vis-à-vis, puis reprendre les m. de la
1re jambe et cont. sur les (90) 96 [102] m. obtenues en formant
2 dim. au milieu ainsi : tric. (43) 46 [49] m., 2 m. ens., 1 s.s.
et (43) 46 [49] m. Répéter ces dim. encore 5 fs ts les 2 rgs en
les plaçant les unes au-dessus des autres.
À (32) 36 [41] cm de haut. tot., tric. 3 cm en côtes simples avec les
aig. n° 2 1/2, puis rab. les m. en les tric. comme elles se présentent.

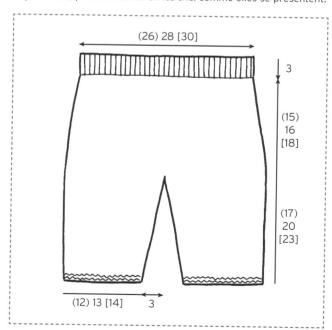

• Dos

Il se tric. comme le devant.

Finitions

Assembler le dos et le devant.
Passer quelques rgs de fil de lastex dans les côtes.

Le cache-cœur ★★

Tailles

(3 mois) 6 mois [12 mois]

Fournitures

Laines Phildar :
• Qualité Super Baby (70 % acrylique et 30 % laine d'agneau –
25 g = 107 m), coloris Écru/085, Azalée/103, Mangue/104,
Olive/110 et Grenadine/119.
• Qualité Phil 'luxe (85 % acrylique et 15 % laine – 50 g = 201 m),
coloris Rouge/018 et Bengale/034.
Pour les 3 tailles : 50 g de chacun des coloris.
3 boutons.
Aig. n° 2 1/2 et 3.

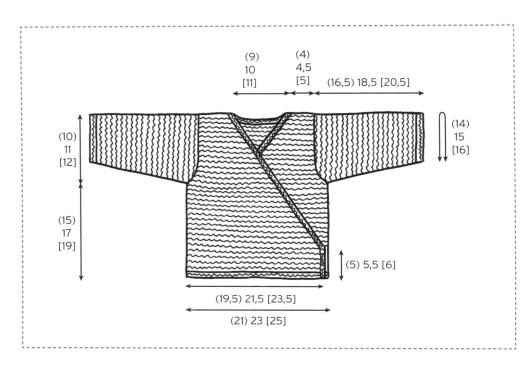

(9) 10 [11] — (4) 4,5 [5] — (16,5) 18,5 [20,5]

(10) 11 [12]

(14) 15 [16]

(15) 17 [19]

(5) 5,5 [6]

(19,5) 21,5 [23,5]

(21) 23 [25]

Points employés

Point mousse : tric. ts les rgs à l'endr.

Point mousse rayé : *2 rgs Olive, 2 rgs Rouge, 2 rgs Grenadine, 2 rgs Olive, 2 rgs Mangue, 2 rgs Grenadine, 2 rgs Olive, 2 rgs Bengale, 2 rgs Mangue, 2 rgs Bengale*, répéter de *à *.

Échantillon

Carré de 10 cm en point mousse avec les aig. n° 3 = 28 m. et 58 rgs.

Réalisation

• Dos

Monter (58) 64 [70] m. Écru sur les aig. n° 2 1/2, et tric. 4 rgs en point mousse, puis cont. en point mousse rayé avec les aig. n° 3.

À (15) 17 [19] cm de haut. tot., pour les emmanchures, dim. de chaque côté, ts les 2 rgs, 1 fs 3 m. et (2) 2 [3] fs 1 m.

À (24) 27 [30] cm de haut. tot., pour l'encolure, rab. les (26) 30 [32] m. du milieu et term. ch. côté séparément.

À (25) 28 [31] cm de haut. tot., pr l'épaule, rab. les (11) 13 [14] m. restantes.

• Devant gauche

Monter (54) 60 [66] m. Écru sur les aig. n° 2 1/2, et tric. 4 rgs en point mousse, puis cont. en point mousse rayé avec les aig. n° 3.

À (5) 5,5 [6] cm de haut. tot., pour le décolleté, dim. à gauche,

1 fs 1 m. ts les 2 rgs, 1 fs 1 m. ts les 4 rgs, répéter de * à * (17) 20 [23] fs au total, puis (4) 2 [0] fs 1 m. ts les 2 rgs.

À (15) 17 [19] cm de haut. tot., pour l'emmanchure, dim. à droite, ts les 2 rgs, 1 fs 3 m. et (2) 2 [3] fs 1 m.

À (25) 28 [31] cm de haut. tot., pr l'épaule, rab. les (11) 13 [14] m. restantes.

• Devant droit

Il se tric. en vis-à-vis du devant gauche.

• Manches

Monter (39) 42 [45] m. Écru sur les aig. n° 2 1/2, et tric. 4 rgs en point mousse, puis cont. en point mousse rayé avec les aig. n° 3, en augm. de ch. côté (9 f. 1 m. ts les 8 rgs) 5 f. 1 m. ts les 6 rgs et 5 fois 1 m. ts les 8 rgs [11 f. 1 m. ts les 8 rgs].

À (15) 17 [19] cm de haut. tot., dim. de ch. côté, ts les 2 rgs, 1 fs 2 m. et 3 fs 1 m, puis rab. les (47) 52 [57] m. restantes.

Finitions

Fermer les épaules.

Relever, avec le coloris Écru et les aig. n° 2 1/2, (15) 16 [18] m. au bord du devant droit, puis (60) 68 [75] m. sur le décolleté, (26) 30 [32] m. sur l'encolure du dos, (60) 68 [75] m. sur le décolleté du devant gauche et (15) 16 [18] m. sur le bord. Tric. 4 rgs en point mousse, sur les (176) 198 [218] m. obtenues, en formant au 2e rg, 3 boutonnières de 2 m, la 1re à 4 m. du bord droit, puis la 2e espacée

de 6 m, et la 3e à 4 m. du bord gauche, puis rab. les m.
Monter les manches et les fermer ainsi que les côtés du cache-cœur.
Coudre les boutons en vis-à-vis des boutonnières, en croisant le
devant droit sur le devant gauche.

Le bonnet ★

Tailles
(3 mois) 6 mois [12 mois]

Fournitures
Laines Phildar :
• Qualité Super Baby (70 % acrylique et 30 % laine d'agneau –
25 g = 107 m), coloris Écru/085, Mangue/104, Olive/110 et
Grenadine/119.
Pour les 3 tailles : 50 g Olive, 10 g Écru et quelques g de chacun
des 3 autres coloris.

Points employés
Jersey endroit : 1 rg endr., 1 rg env.
Point mousse : tric. ts les rgs à l'endr.
Surjet simple (s.s.) : glisser 1 m. sans la tric., tric. la m. suiv.
à l'endr. et rab. la m. glissée sur la m. tric.
Motif : il est brodé au point de croix, sur 1 m. et 1 rg du trav.

Échantillon
Carré de 10 cm en jersey endr. avec les aig. n° 3 = 30 m.
et 40 rgs.

Réalisation

• **Bonnet**
Monter (105) 117 [126] m. Écru sur les aig. n° 2 1/2, et tric. 4 rgs
en point mousse, puis cont. en jersey endr. avec le coloris Olive
et les aig. n° 3.
À (14) 15 [16] cm de haut. tot., dim. de ch. côté, ts les 2 rgs,
1 fs 1 m, 1 fs 2 m, répéter de * à * (15) 17 [18] fs au total,
puis 1 fs 1 m. et rab. les (13) 13 [16] m. rest.

• **Oreillettes**
Monter 20 m. Écru sur les aig. n° 3 et tric. en jersey endr.
Au 13e rg, former de ch. côté, à 1 m. des bords, 5 fs 1 dim. ts les
2 rgs. À droite, tric. 2 m. ens., et à gauche faire 1 s.s., puis rab. les
10 m. rest.
Relever au bord des oreillettes, 42 m. Écru avec les aig. n° 2 1/2,
tric. 2 rgs au point mousse puis rab. les m.

Finitions
Broder un motif n° 2 du pull au milieu de chaque oreillette
en comm. au ras du point mousse.
Fermer le bonnet, puis coudre une oreillette sur l'envers, à (5) 7
[8,5] cm de la couture.
Faire 2 cordelières Écru de 23 cm et les coudre sur les oreillettes.
Faire un pompon de 5 cm de diamètre environ avec tous les
coloris (utiliser aussi les restes de laine des autres pièces),
et le coudre sur le bonnet.

Les chaussons ★★

Tailles
3 mois (6 mois)

Fournitures
Laines Phildar :
• Qualité Super Baby (70 % acrylique et 30 % laine d'agneau –
25 g = 107 m), coloris Écru/085, Azalée/103, Mangue/104,
Olive/110 et Grenadine/119.
• Qualité Phil 'luxe (85 % acrylique et 15 % laine – 50 g =
201 m), coloris Rouge/018 et Bengale/034.
Pour les 2 tailles : quelques g de chacun des coloris.

Points employés

Point mousse : tric. ts les rgs à l'endr.
Point mousse rayé : *2 rgs Olive, 2 rgs Rouge, 2 rgs Grenadine,
2 rgs Olive, 2 rgs Mangue, 2 rgs Grenadine,
2 rgs Olive, 2 rgs Bengale, 2 rgs Mangue, 2 rgs Bengale*,
répéter de * à *.

Échantillon

Carré de 10 cm en point mousse avec les aig. n° 3 = 28 m. et
58 rgs.

Réalisation

Commencer par la semelle.
Monter 11 (13) m. Olive sur les aig. et tric. en point mousse rayé.
À 7,5 (8) cm de haut., ajouter 23 (25) m. de ch. côté et cont.
droit. Tric. 18 (20) rgs, puis couper le fil. Laisser les 23 (25) m.
de ch. côté en attente et pour le dessus du pied, ne cont. que sur
les 11 (13) m. du milieu. Tric. *10 (12) m., puis glisser la m. suiv.,
tric. la 1re des m. en attente, et rab. la m. glissée sur la m. tric.,
tourner*, répéter de * à * jusqu'à ce qu'il ne reste que 13 (15)
m. en attente de ch. côté. Couper le fil. Reprendre les 13 (15)
m. de droite, puis à la suite, les 11 (13) m. du dessus de pied et les
13 (15) m. de gauche. Tric. 22 (26) rgs en cont. les rayures, puis
4 rgs Écru et rab. les m.
Rentrer les fils, puis coudre les côtés du chausson sur la semelle
et le fermer.
Tricoter un 2ᵉ chausson semblable.

en noir et blanc

Accompagnant une combinaison toute torsadée, le jacquard « plumetis » joue avec légèreté le contraste négatif/positif...

La combinaison ★★

Tailles
(6 mois) 12 mois [18 mois]

Fournitures
Laines Phildar :
• Qualité Laine et cachemire (85 % laine peignée et 15 % cachemire – 25 g = 60 m) coloris Noir/067.
6 mois : 175 g.
12 mois : 225 g.
18 mois : 250 g.
(5) 5 [6] boutons.
Une aig. auxil. à 2 pointes
Aig. n° 3 1/2 et 4.

Points employés
Côtes torsadées : elles se font sur 10 m. en suiv. la grille.
4 mailles croisées à droite : glisser 2 m. sur l'aig. auxil. que l'on place derrière le trav., tric. à l'endr. les 2 m. suiv. puis les 2 m. de l'aig. auxil.

Échantillon
Carré de 10 cm en côtes torsadées légèrement détendues, avec les aig. n° 4 = 28 m. et 30 rgs.

Réalisation
La combinaison se tric. en un seul morceau et se commence par la jambe gauche.
Monter (56) 61 [67] m. sur les aig. n° 4 et tric. en côtes torsadées en comm. en (A) B [A] de la grille et en augm. de ch. côté, 3 fs 1 m. ts les (14) 18 [22] rgs. Après le dern. rg de la grille, reprendre au 3ᵉ rg.
À (17) 21 [25] cm de haut. tot., laisser les (62) 67 [73] m. obtenues en attente.
Tric. la jambe droite sembl. en comm. la grille en (A) À [C].
À (17) 21 [25] cm de haut. tot., monter 7 m. sur une aig., puis reprendre à la suite les m. de la jambe droite, ajouter 18 m. pour l'entrejambe, reprendre les m. de la jambe gauche et ajouter 7 m. Cont. en côtes torsadées sur les (156) 166 [178] m. obtenues.
À (35) 42 [48] cm de haut. tot., pour former les emmanchures, tric. (35) 38 [41] m., rab. 6 m., tric. (74) 78 [84] m., rab. 6 m. et tric. (35) 38 [41] m. Cont. sur ces m. pour le devant droit.

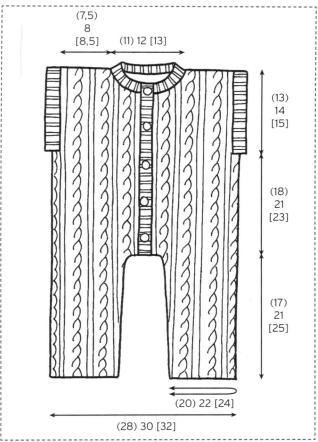

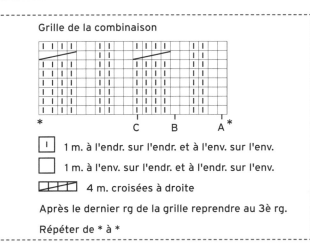

Grille de la combinaison

* C B A *

| | 1 m. à l'endr. sur l'endr. et à l'env. sur l'env.

☐ 1 m. à l'env. sur l'endr. et à l'endr. sur l'env.

▱▱▱ 4 m. croisées à droite

Après le dernier rg de la grille reprendre au 3è rg.

Répéter de * à *

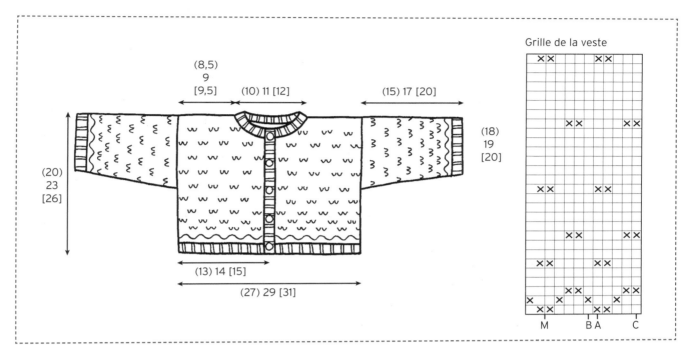

Grille de la veste

À (44) 51 [58] cm de haut. tot., pour l'encolure, rab. à gauche, ts les 2 rgs, 1 fs (6) 7 [7] m., 1 fs (4) 4 [5] m., 1 fs (3) 4 [4] m. et 1 fs 1 m.
À (48) 56 [63] cm de haut. tot., pour l'épaule, rab. les (21) 22 [24] m. rest.
Reprendre les (35) 38 [41] m. de droite et term. le devant droit en vis-à-vis.
Reprendre les (74) 78 [84] m. pour le dos et cont. droit.
À (47) 55 [62] cm de haut. tot., pour l'encolure, rab. les (32) 34 [36] m. du milieu et term. ch. côté séparément.
À (48) 56 [63] cm de haut. tot., pour l'épaule, rab. les (21) 22 [24] m. rest.

Finitions

Tric. la même bordure sur toutes les emmanchures. Relever (31) 33 [34] m., tric. 2 cm en côtes 1/1, puis rab. les m. en les tric. comme elles se présentent.
Relever (67) 75 [82] m. au bord du devant droit et tric. 1,5 cm en côtes 1/1, puis rab. les m. Tric. la même bordure sur le devant gauche mais en formant (4) 4 [5] boutonnières de 2 m. sur le 2e rg, la 1re à (11) 12 [11] m. du bord, et les suiv. espacées de (13) 15 [13] m.
Fermer les épaules.
Relever (69) 75 [81] m. au bord de l'encolure et tric. 1,5 cm en côtes 1/1 en formant une boutonnière à 2 m. du bord gauche.
Fermer les jambes et l'entrejambe en superposant les bandes de boutonnage.
Coudre les boutons.

La veste noire ★★

Tailles
(6 mois) 12 mois [18 mois]

Fournitures
Laines Phildar :
• Qualité Laine et cachemire (85 % laine peignée et 15 % cachemire – 25 g = 60 m) coloris Noir/067 et Écru/032.
6 mois : 100 g Noir et 50 g Écru.
12 mois : 150 g Noir et 50 g Écru.
18 mois : 150 g Noir et 50 g Écru.
(5) 5 [6] boutons.
Aig. n° 3 1/2 et 4.

Points employés
Côtes 1/1 : 1 m. endr., 1 m. env.
Jersey endroit : 1 rg endr., 1 rg env.
Jersey endroit Jacquard : il se tric. en suiv. la grille.

Échantillon
Carré de 10 cm en jersey endr. jacquard avec les aig. n° 4 = 22 m. et 29 rgs.

1 m. ts les 8 rgs et 2 fs 1 m. ts les 10 rgs) 5 fs 1 m. ts les 8 rgs [4 fs 1 m. ts les 6 rgs et 3 fs 1 m. ts les 8 rgs].

À (15) 17 [20] cm de haut. tot., rab. les (48) 52 [58] m. obtenues.

Finitions

Fermer les épaules.

Relever autour de l'encolure, (53) 59 [65] m. Noir sur les aig. n° 3 1/2, et tric. 1,5 cm en côtes 1/1, puis rab. les m. en les tric. comme elles se présentent.

Relever au bord du devant gauche, (45) 53 [61] m. Noir sur les aig. n° 3 1/2, et tric. 1,5 cm en côtes 1/1, en formant au 2e rg, (5) 5 [6] boutonnières d'1 m, la 1re à 2 m. du bord et les suiv. espacées de (9) 11 [10] m., puis rab. les m. en les tric. comme elles se présentent.

Tricoter la même bordure sur le devant droit mais sans former les boutonnières.

Monter les manches et les fermer ainsi que les côtés de la veste. Coudre les boutons sur le devant droit.

La brassière écrue ★★

Tailles

(6 mois) 12 mois [18 mois]

Fournitures

Laines Phildar :

• Qualité Laine et cachemire (85 % laine peignée et 15 % cachemire − 25 g = 60 m) coloris Écru/0323 et Noir/067.

6 mois : 100 g Écru et 50 g Noir.

12 mois : 150 g Écru et 50 g Noir.

18 mois : 150 g Écru et 50 g Noir.

(5) 5 [6] boutons.

Aig. n° 3 1/2 et 4.

Points employés

Côtes 1/1 : 1 m. endr., 1 m. env.

Jersey endroit : 1 rg endr., 1 rg env.

Jacquard rebrodé : il se brode au point de m. en suiv. la grille et en brodant chaque point de 2 points en V pour la reformer.

Échantillon

Un carré de 10 cm en jersey endr. avec les aig. n° 4 = 22 m. et 29 rgs.

Réalisation

La brassière est tricotée en un seul morceau et est commencée par le devant.

Réalisation

• Dos

Monter (60) 64 [68] m. Noir sur les aig. n° 3 1/2, et tric. 1,5 cm en côtes 1/1. Avec les aig. n° 4, cont. en jersey endr. jacquard en comm. en (A) B [C] de la grille.

À (19) 22 [25] cm de haut. tot., pour l'encolure, rab. les (18) 20 [22] m. du milieu et term. ch. côté séparément, en rab. côté encolure, 1 fs 2 m, 2 rgs au-dessus.

À (20) 23 [26] cm de haut. tot., pour l'épaule, rabattre les (19) 20 [21] m. restantes.

• Devant droit

Monter (29) 31 [33] m. Noir sur les aig. n° 3 1/2, et tric. 1,5 cm en côtes 1/1. Avec les aig. n° 4, cont. en jersey endr. jacquard en comm. en C de la grille.

À (18) 21 [24] cm de haut. tot., pour l'encolure, rab. à droite, ts les 2 rgs, 1 fs 7 m, 1 fs (2) 3 [4] m. et 1 fs 1 m.

À (20) 23 [26] cm de haut. tot., pour l'épaule, rab. les (19) 20 [21] m. restantes.

• Devant gauche

Il se tric. en vis-à-vis du devant droit.

• Manches

Monter (40) 42 [44] m. Noir sur les aig. n° 3 1/2, et tric. 1,5 cm en côtes 1/1. Avec les aig. n° 4, cont. en jersey endr. jacquard, en plaçant le point M au milieu du trav. et en augm. de ch. côté (2 fs

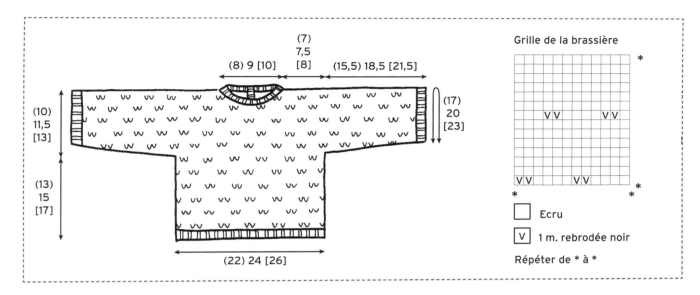

Grille de la brassière

☐ Ecru

Ⅴ 1 m. rebrodée noir

Répéter de * à *

Monter (50) 54 [60] m. Écru sur les aig. n° 3 1/2, et tric 1,5 cm en côtes 1/1, puis cont. en jersey endr. avec les aig. n° 4.
À (13) 15 [17] cm de haut. tot., pour les manches, augm. de chaque côté, ts les 2 rgs, (2 fs 11 m. et 1 fs 10 m) 3 fs 13 m. [2 fs 15 m. et 1 fs 16 m.]. Cont. droit sur les (114) 132 [152] m. obtenues.
À (21) 24,5 [28] cm de haut. tot., pour l'encolure, rab. les (12) 14 [16] m. du milieu et cont. sur les (51) 59 [68] m. de gauche en rab. à droite, ts les 2 rgs, 1 fs 2 m. et 1 fs 1 m.
À (23) 26,5 [30] cm de haut. tot., on est au milieu du trav. marquer l'épaule d'un fil repère.
À 1 cm de haut. depuis l'épaule, pour l'encolure du dos, augm. à droite, ts les 2 rgs, 1 fs (4) 5 [5] m., 1 fs (3) 3 [4] m. et cont. droit sur les (55) 64 [74] m. obtenues.
À (8,5) 10 [11,5] cm de haut. depuis l'épaule, pour terminer la manche, rab. à gauche, ts les 2 rgs, (2 fs 11 m. et 1 fs 10 m) 3 fs 13 m. [2 fs 15 m. et 1 fs 16 m], et cont. droit sur les (23) 25 [28] m. rest.
À (21,5) 25 [28,5] cm de haut. depuis l'épaule, tric. 1,5 cm en côtes 1/1 avec les aig. n° 3 1/2, puis rab. les m. en les tric. comme elles se présentent.
Reprendre les (51) 59 [68] m. en attente de droite, puis term. ce côté en vis-à-vis.

Finitions

Broder le devant en comm. sur le 1er rg en jersey et en plaçant 2 points Noir au milieu du rg. Puis broder les dos en vis-à-vis.
Toutes les bordures sont tricotées avec les aig. n° 3 1/2.
Relever (45) 51 [61] m. Écru au bord de l'encolure et tric.1,5 cm en côtes 1/1 puis rab. les m. en les tric. comme elles se présentent.
Relever (55) 63 [71] m. sur le dos droit et tric. la même bordure.
Tric. la même bordure sur le dos gauche mais en formant au 2e rg, (5) 5 [6] boutonnières de 2 m, la 1re à 2 m. du bord et les suiv. espacées de (10) 12 [11] m.
Relever (37) 39 [41] m. Écru au bord des manches, et tric. la même bordure. Fermer les manches et les côtés.
Coudre les boutons sur le dos droit.

bébés "acidulés"

jumeaux, jumelles...

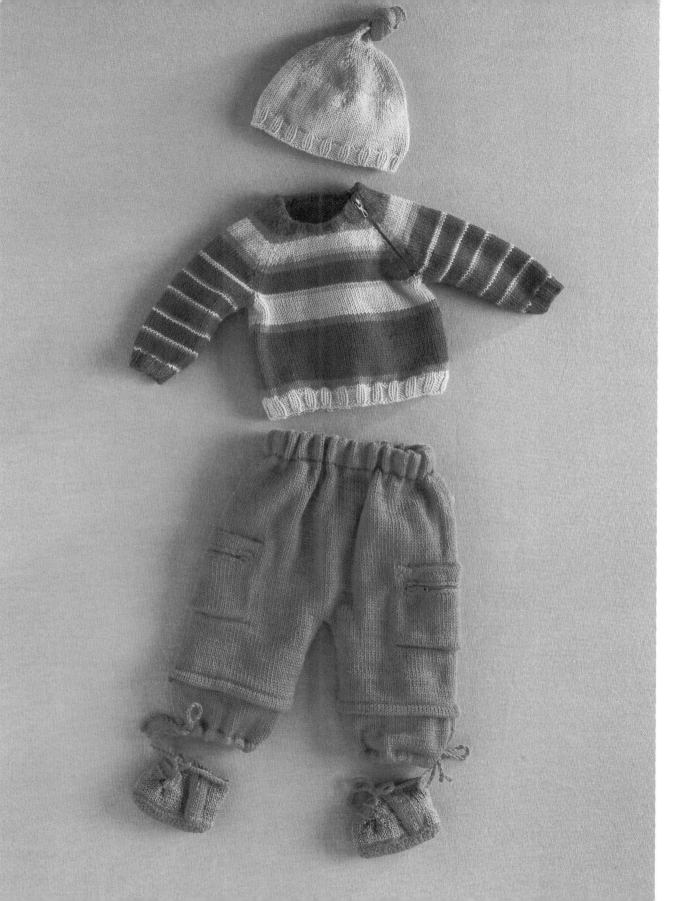

jumeaux, jumelles

Jouez au jeu du « qui est qui ? »… grâce à de petits pulls aux rayures inversées.

Les pulls rayés ★★★

Tailles
(3 mois) 6 mois [12 mois]

Fournitures
Laines Phildar :
• Qualité Lambswool (51 % laine d'agneau et 49 % acrylique –
50 g = 134 m), coloris Fuchsia/004, Freesia/020, Papaye/015.
• Qualité Phil'Laine (51 % laine et 49 % acrylique – 50 g
= 126 m), coloris Carmin/024.
Pour les 3 tailles : 50 g de chacun des coloris.
Une fermeture à glissière de 10 cm.
Aig. n° 3.

Points employés
Côtes 2/3 : 2 m. endr., 3 m. env.
Jersey endroit : 1 rg endr., 1 rg env.
Jersey endroit rayé : *1 rg Freesia, 1 rg Fuchsia, 6 rgs Carmin,
1 rg Fuchsia, 1 rg Freesia, 6 rgs Carmin*, répéter de * à *.
Surjet simple (s.s.) : glisser 1 m. sans la tric., tric. la m. suiv.
à l'endr. et rab. la m. glissée sur la m. tric.

Échantillon
Carré de 10 cm en jersey endr. rayé et les aig. n° 3 = 26 m.
et 35 rgs.

Le pull à fines rayures

• Dos
Monter (60) 65 [70] m. Carmin sur les aig., et tric. 1,5 cm en
côtes 2/3 en comm. par 1 m. endr. et 3 m. env., puis cont. en
jersey endr. rayé.
À (13) 15 [17,5] cm de haut. tot., soit après la (5e) 6e [7e] rayure
Carmin, tout en comm. les raglans, tric.1 rg Papaye, 1 rg Freesia,
8 rgs Carmin, (3) 4 [4] rgs Fuchsia, 2 rgs Papaye, (6) 6 [8] rgs
Freesia, (3) 4 [4] rgs Fuchsia et term. en Carmin. Rab. 1 fs 4 m.
de ch. côté, puis former à 2 m. des bords, (16 fs 1 dim. ts les 2
rgs) 16 fs 1 dim. ts les 2 rgs et 1 fs 1 dim. ts les 4 rgs [17 fs 1 dim.
ts les 2 rgs et 1 fs 1 dim. ts les 4 rgs]. À droite, tric. 2 m. ens. à
l'endr. et à gauche, faire 1 s.s.
À (22,5) 25,5 [29] cm de haut. tot., soit après la dern. dim.
du raglan, pour l'encolure, rab. les (20) 23 [26] m. rest.

• Devant
Commencer comme le dos.
À (13) 15 [17,5] cm de haut. tot., soit après la (5e) 6e [7e] rayure
Carmin, cont. en rayures comme au dos et comm. les raglans.
Rab. 1 fs 4 m. de ch. côté, puis former à 2 m. des bords, (13 fs
1 dim. ts les 2 rgs) 13 fs 1 dim. ts les 2 rgs et 1 fs 1 dim. ts les 4 rgs
[14 fs 1 dim. ts les 2 rgs et 1 fs 1 dim. ts les 4 rgs].
À (19) 22 [25,5] cm de haut. tot., pour l'encolure, fermer les (10)
13 [14] m. du milieu et term. ch. côté séparément, en rab. côté
encolure, ts les 2 rgs, 1 fs (4) 4 [5] m. et 1 fs 2 m.
À (21) 24 [27,5] cm de haut. tot., soit après la dern. dim.
du raglan, rab. les 2 m. rest.

• Manche droite
Monter (34) 36 [39] m. Freesia sur les aig. n° 3, et tric. 1,5 cm
en côtes 2/3 en comm. par (1) 2 [1] m. env. et 2 m. endr. puis cont.
en jersey endr., en augm. de ch. côté (8 fs 1 m. les 4 rgs) 7 fs 1 m.
ts les 4 rgs et 2 fs 1 m. ts les 6 rgs [7 fs 1 m. ts les 4 rgs et 3 fs
1 m. ts les 6 rgs].
En même temps, tric. 2 rgs Freesia, (3) 4 [4] rgs Fuchsia, (20) 22 [26]
rgs Carmin, (3) 4 [4] rgs Fuchsia, (10) 14 [16] rgs Freesia, 1 rg Papaye,

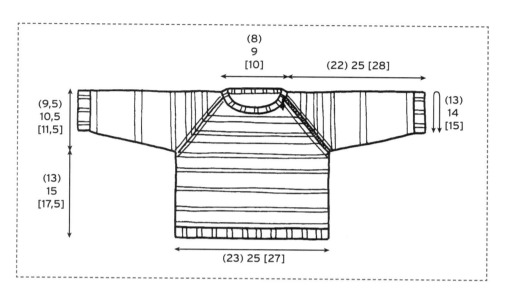

1 rg Freesia, 8 rgs Carmin, (3) 4 [4] rgs Fuchsia, 2 rgs Papaye, (6) 6 [8] rgs Freesia, (3) 4 [4] rgs Fuchsia, et term. en Carmin.
À (12,5) 14,5 [16,5] cm de haut., soit après les (10) 14 [16] rgs Freesia, pour les raglans, rab. de ch. côté, 1 fs 4 m., puis former à droite les même dim. qu'au devant et à gauche, les mêmes qu'au dos. Après la dern. dim. du devant, rab. à droite, ts les 2 rgs, (2 fs 4 m. et 1 fs 5 m.) 3 fs 5 m. [3 fs 6 m.].

• Manche gauche
Elle se tric. en vis-à-vis de la manche droite.

• Finitions
Monter les manches en laissant le raglan du devant gauche ouvert et les fermer ainsi que les côtés du pull. Relever autour de l'encolure (68) 75 [83] m. Carmin sur les aig., et tric. 1,5 cm en côtes 2/3 en comm. par (3 m. env.) 1 m. endr. et 3 m. env. [3 m. env.], puis rab. les m. en les tric. comme elles se présentent. Coudre la fermeture à glissière sur le raglan.

le pull à larges rayures ★ ★ ★

• Dos
Monter (60) 65 [70] m. Freesia sur les aig. n° 3, et tric. 1,5 cm en côtes 2/3 en comm. par 1 m. endr. et 3 m. env., puis cont. en jersey endr. en tric. 2 rgs Freesia, (3) 4 [4] rgs Fuchsia, (20) 22 [26] rgs Carmin, (3) 4 [4] rgs Fuchsia, (10) 14 [16] rgs Freesia, 1 rg Papaye, 1 rg Freesia, 8 rgs Carmin, (3) 4 [4] rgs Fuchsia, 2 rgs Papaye, (6) 6

[8] rgs Freesia, (3) 4 [4] rgs Fuchsia, et term. en Carmin.
En même temps, à (13) 15 [17,5] cm de haut. tot., soit après les (10) 14 [16] rgs Freesia, comm. les raglans. Rab. 1 fs 4 m. de ch. côté, puis former à 2 m. des bords, (16 fs 1 dim. ts les 2 rgs) 16 fs 1 dim. ts les 2 rgs et 1 fs 1 dim. ts les 4 rgs [17 fs 1 dim. ts les 2 rgs et 1 fs 1 dim. ts les 4 rgs]. À droite, tric. 2 m. ens. à l'endr. et à gauche, faire 1 s.s. À (22,5) 25,5 [29] cm de haut. tot., soit après la dern. dim. du raglan, pour l'encolure, rab. les (20) 23 [26] m. rest.

• Devant
Commencer comme le dos.
À (13) 15 [17,5] cm de haut. tot., comm. les raglans. Rab. 1 fs 4 m. de ch. côté, puis former à 2 m. des bords, (13 fs 1 dim. ts les 2 rgs) 13 fs 1 dim. ts les 2 rgs et 1 fs 1 dim. ts les 4 rgs [14 fs 1 dim. ts les 2 rgs et 1 fs 1 dim. ts les 4 rgs].
À (19) 22 [25,5] cm de haut. tot., pour l'encolure, fermer les (10) 13 [14] m. du milieu et term. ch. côté séparément, en rab. côté encolure, ts les 2 rgs, 1 fs (4) 4 [5] m. et 1 fs 2 m.
À (21) 24 [27,5] cm de haut. tot., soit après la dern. dim. du raglan, rab. les 2 m. rest.

• Manche droite
Monter (34) 36 [39] m. Carmin sur les aig., et tric. 1,5 cm en côtes 2/3 en comm. par (3) 2 [1] m. env. et 2 m. endr. puis cont. en jersey endr. rayé, en augm. de ch. côté (8 fs 1 m. les 4 rgs) 7 fs 1 m. ts les 4 rgs et 2 fs 1 m. ts les 6 rgs [7 fs 1 m. ts les 4 rgs et 3 fs 1 m. ts les 6 rgs].

À (12,5) 14,5 [16,5] cm de haut., soit après la (5e) 6e [7e] rayure Carmin, pour les raglans, tric.1 rg Papaye, 1 rg Freesia, 8 rgs Carmin, (3) 4 [4] rgs Fuchsia, 2 rgs Papaye, (6) 6 [8] rgs Freesia, (3) 4 [4] rgs Fuchsia et term. en Carmin. En même temps, rab. de ch. côté, 1 fs 4 m. puis former à droite les même dim. qu'au devant et à gauche, les mêmes dim. qu'au dos. Après la dern. dim. du devant, rab. à droite, ts les 2 rgs, 2 fs (2 fs 4 m. et 1 fs 5 m.) 3 fs 5 m. [3 fs 6 m.].

• Manche droite
Elle se tric. en vis-à-vis de la manche droite.

Finitions
Voir le pull précédent.

Le pantalon ★★★

Tailles
(3 mois) 6 mois [12 mois]

Fournitures
Laines Phildar :
• Qualité Lambswool (51 % laine d'agneau et 49 % acrylique – 50 g = 134 m), coloris Fuchsia/004.
• Qualité Phil'Laine (51 % laine et 49 % acrylique – 50 g = 126 m), coloris Carmin/024.
3 mois : 150 g Fuchsia et quelques g Carmin.
6 mois : 150 g Fuchsia et quelques g Carmin.
12 mois : 200 g Fuchsia et quelques g Carmin.
2 fermetures à glissière de10 cm col. rouge.
(40) 45 [50] cm d'élastique en 2,5 cm de large.
Aig. n° 3.

Point employé
Jersey endroit : 1 rg endr., 1 rg env.

Échantillon
Carré de 10 cm en jersey endr. avec les aig. n° 3 = 26 m. et 35 rgs.

Réalisation

• Dos
Commencer par la jambe gauche.
Monter (34) 36 [39] m. Fuchsia sur les aig., et tric. en jersey endr. en augm. à droite (4 fs 1 m. ts les 10 rgs) 4 fs 1 m. ts les 10 rgs [4 fs 1 m. ts les 16 rgs].
À (7) 8 [9] cm de haut. tot., tric. 4 rgs Carmin, puis 4 rgs Fuchsia, et pour le bourrelet, tric. 1 rg en prenant en même temps 1 m. de

l'aig. gauche et la m. correspondante du rg Fuchsia au-dessous du 1er rg Carmin, puis cont. en jersey endr. Fuchsia.
À (16) 19 [22] cm de haut. tot., laisser les (38) 40 [43] m. obtenues en attente.
Tric. la jambe droite en vis-à-vis, puis reprendre les m. de la 1re jambe et cont. sur les (76) 80 [86] m. obtenues.
À (32) 37 [42] cm de haut. tot., tric. 1 rg Carmin, puis 6 cm Fuchsia et rab. les m.

• Devant
Il se tric. comme le dos.

• Poches
Monter 28 m. Fuchsia sur les aig. et tric. en jersey endr.
À 6 cm de haut., pour l'ouverture, tric. 3 m., rab. 22 m. et tric. 3 m.
Tric. encore 1 rg sur ces dernières m. et les laisser en attente. Tric. 1 rg env. sur les 3 premières m., puis 1 rg endr., monter 22 m. à la suite et tric. les 3 dern. m. Tric. 1,5 cm sur toutes les m. et les rab.
Relever 22 m. sur le bord du haut de l'ouverture et tric. 1 rg en rab. les m. et en les tric. à l'env.
Tric. une 2e poche sembl.
Coudre une fermeture à glissière sur chaque poche.

Finitions
Assembler le dos et le devant.
Faire un ourlet de 1 cm dans le bas des jambes.
Faire 2 cordelières avec un brin de laine Fuchsia de 180 cm et les passer dans les ourlets des jambes en les nouant sur le côté.
Faire un ourlet de 3 cm dans le haut du pantalon en insérant l'élastique.
Coudre une poche sur chaque jambe, à (12) 14 [16] cm du bas, et à cheval sur le côté.

Les bonnets ★★

Tailles
(3 mois) 6 mois [12 mois]

Fournitures
Laines Phildar :
• Qualité Lambswool (51 % laine d'agneau et 49 % acrylique – 50 g = 134 m), coloris Fuchsia/004, Freesia/020, Papaye/015.
• Qualité Phil'Laine (51 % laine et 49 % acrylique – 50 g = 126 m), coloris Carmin/024.
Pour les 3 tailles : 20 g Freesia et Papaye, et 15 g Fuchsia ou Carmin.
Aig. n° 3.

Points employés

Jersey endroit : 1 rg endr., 1 rg env.
Côtes 2/3 : 2 m. endr., 3 m. env.

Échantillon

Carré de 10 cm en jersey endr. avec les aig. n° 3 = 26 m. et 35 rgs.

Réalisation

Monter (92) 102 [112] m. Freesia sur les aig. et tric. 1,5 cm en côtes 2/3 avec 1 m. lis. de ch. côté, puis cont. en jersey endr. À (6) 7 [8] cm de haut. tot, comm. les dim. Tric. (1) 3 [2] m., *2 m. ens., (13) 14 [16] m.*, répéter de *à * 6 fs au total, et (1) 3 [2] m. endr. Répéter ces dim. encore 2 fs ts les 4 rgs, en cont. avec le col. Papaye dès la 1re fs, et (8) 9 [11] fs ts les 2 rgs. Tric. 2 cm droit sur les (26) 30 [28] m. rest., puis 11 cm avec le col. Fuchsia ou Carmin et rab. les m. Fermer le bonnet et nouer le haut.

Les chaussons ★★

Tailles

3 mois (6 mois)

Fournitures

Laines Phildar :
• Qualité Phil'Laine (51 % laine et 49 % acrylique − 50 g = 126 m), coloris Carmin/024.
• Qualité Lambswool (51 % laine d'agneau et 49 % acrylique − 50 g = 134 m), coloris Fuchsia/004.
Qualité Pronostic (70 % acrylique et 30 % laine − 50 g = 160 m), coloris Tamaris/142.
3 mois : 10 g de chacun des coloris.
6 mois : 15 g de chacun des coloris.
Aig. n° 3.

Points employés

Jersey endroit : 1 rg endr., 1 rg env.
Point mousse : tric. ts les rgs à l'endr.
Surjet double (s. dble) : glisser 1 m. sans la tric., tric. 2 m. ens. à l'endr. et rab. la m. glissée sur la m. obtenue.
Broderie : elle se fait au point de m., en recouvrant ch. m. de 2 points en V pour la recouvrir.

Échantillon

Carré de 10 cm en jersey avec les aig. n° 3 = 25 m et 34 rgs.

Réalisation

Commencer par la semelle.
Monter 6 (8) m. Fuchsia ou Carmin sur les aig. et tric. en pt mousse en augm. de ch. côté, 2 fs 1 m. ts les 2 rgs.
À 6 (7) cm de haut. tot., dim. de ch. côté, 2 fs 1 m. ts les 2 rgs puis rab. les 6 (8) m. rest.
Monter pour le pied, 56 (62) m. Fuchsia ou Carmin sur les aig. et tric. 2 rgs en pt mousse, 2 rgs en jersey, puis cont. en jersey avec le col. Tamaris. Tric. 2 (2,5) cm puis comm. le dessus du pied.
Tric. 21 (23) m., 3 m. ens., 8 (10) m. Fuchsia ou Carmin, puis avec le col. Tamaris, 1 s. dble et 21 (23) m. Répéter ces dim. encore 4 (5) fs ts les 2 rgs, en les plaçant tjrs de ch. côté des 8 (10) m. du dessus du pied. Il reste 36 (38) m. Tric. 1 rg Fuchsia ou Carmin, puis rab. les m. en les tric. à l'endr. sur l'env.
Broder sur ch. côté, avec le col. Fuchsia ou Carmin, 2 lignes de 2 m. espacées d'1 m., en comm. à (8) 9 m. du bord.
Fermer le chausson et coudre la semelle. Faire une cordelière avec un brin de 160 cm col. Fuchsia ou Carmin, et lacer le dessus du chausson.
Tric. un 2e chausson sembl.

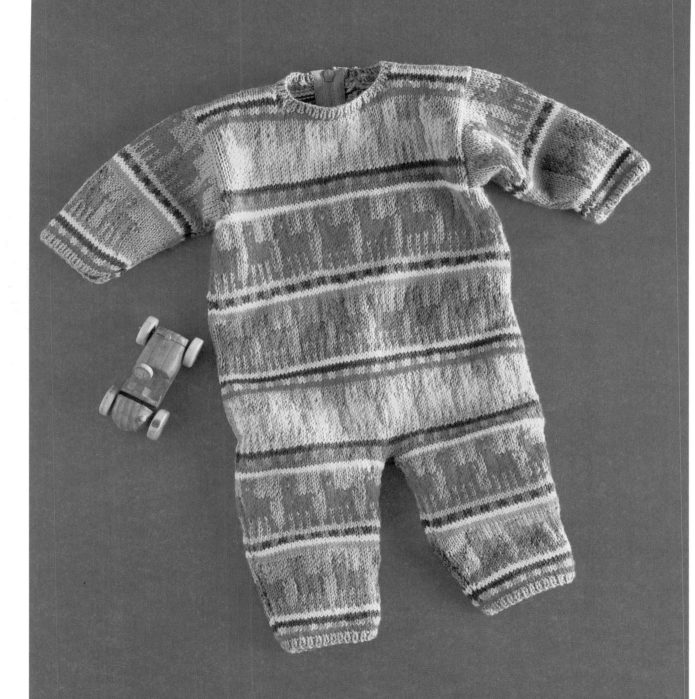

la bonne combinaison

la bonne combinaison

Défilé de lamas ou rayures bayadères, les couleurs donnent le ton : celui de la gaieté !

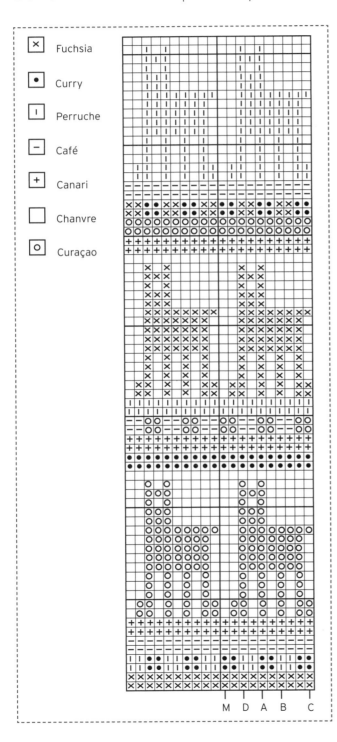

☒	Fuchsia
⊡	Curry
⊡	Perruche
⊟	Café
⊞	Canari
☐	Chanvre
⊙	Curaçao

La combinaison lamas ★★★

Tailles
(3 mois) 6 mois [12 mois]

Fournitures
Laines Phildar :
• Qualité Lambswool (51 % laine d'agneau et 49 % acrylique –
50 g = 134 m), coloris Chanvre/080, Café/081, Perruche/093,
Curry/076, Canari/098, Fuchsia/004 et Curaçao/002.
3 mois : 100 g Chanvre et 50 g de chacun des 6 autres coloris.
6 mois : 100 g Chanvre et 50 g de chacun des 6 autres coloris.
12 mois : 150 g Chanvre et 50 g de chacun des 6 autres coloris.
Une fermeture à glissière de (30) 30 [35] cm.
Aig. n° 3.

Points employés
Côtes 1/1 : 1 m. endr., 1 m. env.
Jersey endroit : 1 rg endr., 1 rg env.
Jersey endr. jacquard : suivre la grille en croisant bien les fils
à chaque changt de fils. Après le dern. rg, reprendre au 1er rg.

Échantillon
Carré de 10 cm en jersey endr. jacquard avec les aig. n° 3 = 31 m
et 33 rgs.

Réalisation

• Devant
Commencer par la jambe droite. Monter (31) 34 [37] m. Chanvre
sur les aig. et tric. 1 cm en côtes 1/1, puis cont. en jersey endr.
jacquard en comm. en A de la grille, et en augm. de ch. côté, (2 fs
1 m. ts les 8 rgs et 3 fs 1 m. ts les 10 rgs) 2 fs 1 m. ts les 10 rgs et
3 fs 1 m. ts les 12 rgs [2 fs 1 m. ts les 12 rgs et 3 fs 1 m. ts les 14 rgs].
À (17) 20 [23] cm de haut. tot., laisser les (41) 44 [47] m.
obtenues en attente.
Tric. la 2e jambe sembl., mais en comm. la grille en (B) C [D], puis
ajouter 1 m. à la suite et reprendre les m. de la jambe
droite. Cont. sur les (83) 89 [95] m. obtenues.
À (31) 36 [41] cm de haut. tot., dim. de ch. côté, 3 fs 1 m. ts les 8 rgs.
À (38) 43 [50] cm de haut. tot., pour les emmanchures, rab.
de chaque côté : 1 fs 5 m.
À (45) 51 [59] cm de haut. tot., pour l'encolure, rab. les (13)
15 [15] m. du milieu et term. ch. côté séparément en rab. côté

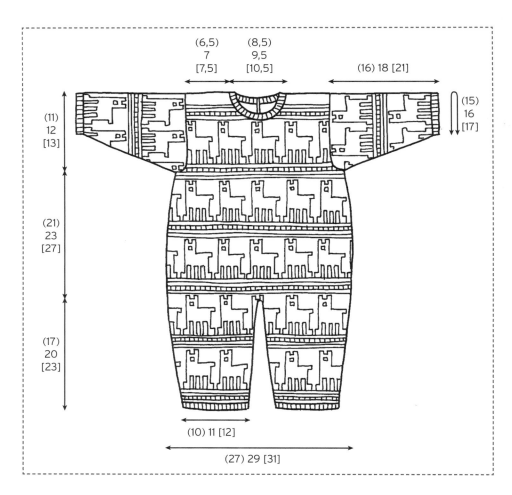

(6,5) (8,5)
7 9,5
[7,5] [10,5]

(16) 18 [21]

(15)
16
[17]

(11)
12
[13]

(21)
23
[27]

(17)
20
[23]

(10) 11 [12]

(27) 29 [31]

encolure, ts les 2 rgs : 1 fs 4 m., (1) 1 [2] fs 2 m. et 1 fs 1 m.
À (49) 55 [63] cm de haut. tot., pour l'épaule, rab. les (20) 22
[23] m. rest.

• Dos gauche

Monter (31) 34 [37] m. Chanvre sur les aig. et tric. 1 cm en côtes
1/1, puis cont. en jersey endr. jacquard, en comm. en (B) C [D] de
la grille, et en augm. de ch. côté, (2 fs 1 m. ts les 8 rgs et 3 fs 1 m.
ts les 10 rgs) 2 fs 1 m. ts les 10 rgs et 3 fs 1 m. ts les 12 rgs [2 fs
1 m. ts les 12 rgs et 3 fs 1 m. ts les 14 rgs].
À (17) 20 [23] cm de haut. tot., ajouter 1 m. à gauche, puis cont.
sur les (42) 45 [48] m. obtenues.
À (31) 36 [41] cm de haut. tot., dim. à droite, 3 fs 1 m. ts les 8 rgs.
À (38) 43 [50] cm de haut. tot., pour l'emmanchure, rab. à
droite : 1 fs 5 m.

À (47,5) 53,5 [61,5] cm de haut. tot., pour l'encolure, rab. à gauche,
ts les 2 rgs : (2 fs 7 m.) 1 fs 8 m. et 1 fs 7 m. [1 fs 9 m. et 1 fs 8 m.].
À (49) 55 [63] cm de haut. tot., pour l'épaule, rab. les (20) 22
[23] m. rest.

• Dos droit

Il se tric. en vis-à-vis du devant droit en comm. le jacquard
en A.

• Manche

Monter (47) 49 [53] m. Chanvre sur les aig. et tric. 1 cm en côtes
1/1, puis cont. en jersey endr. jacquard en plaçant le point M de la
grille au milieu du trav. et en augm. de ch. côté, (11) 13 [14] fs 1 m.
ts les 4 rgs.
À (16) 18 [21] cm de haut. tot., rab. les (69) 75 [81] m. obtenues.

Finitions

Fermer les épaules, les côtés et les jambes.
Relever au bord de l'encolure, (69) 77 [85] m. avec les aig.
et le col. Chanvre, et tric. 1 cm en côtes 1/1 puis rab. les m.
en les tric. comme elles se présentent.
Monter les manches et les fermer.
Coudre la fermeture à glissière au bord des dos, et les fermer
dans le bas.

La combinaison rayée ★★

Tailles
(3 mois) 6 mois [12 mois]

Fournitures
Laines Phildar :
• Qualité Lambswool (51 % laine d'agneau et 49 % acrylique –
50 g = 134 m), coloris Fuchsia/004, Melon/008, Papaye/015,
Velours/070, Pistache/075, Curry/076, Bronze/082, Pensée/090
et Perruche/093.
Pour les 3 tailles : 50 g dans chacun des coloris.
1 fermeture à glissière de 30 cm.
Aig. n° 3.

Points employés
Côtes 1/1 : 1 m. endr., 1 m. env.
Jersey endroit : 1 rg endr., 1 rg env.
Jersey endr. rayé : tric. 6 rgs en altern. les col. Bronze,
Perruche, Pistache, Curry, Melon, Papaye, Fuchsia, Velours
et Pensée.

Échantillon
Carré de 10 cm en jersey endr. avec les aig. n° 3 = 26 m.
et 35 rgs.

Réalisation

• Devant
Comm. par la jambe droite.
Monter (26) 29 [32] m. Bronze sur les aig. et tric. 2 rgs en côtes
1/1, puis cont. en jersey endr. rayé, en comm. par 4 rgs Bronze,
et en augm. de ch. côté, (4 fs 1 m. ts les 6 rgs et 3 fs 1 m.
ts les 8 rgs) 7 f. 1 m. ts les 8 rgs [7 fs 1 m. ts les 10 rgs].
À (15) 18 [21] cm de haut. tot., laisser les (40) 43 [46] m.
obtenues en attente.
Tric. la jambe gauche sembl., puis ajouter 2 m. à la suite, et
reprendre les m. de la jambe droite. Cont. droit sur les (82)
88 [94] m. obtenues.
À (29) 34 [39] cm de haut. tot., rab. de ch. côté, 5 fs 1 m. ts les 6 rgs.
À (37) 42 [47] cm de haut. tot., pour les emmanchures, rab. de
ch. côté 1 fs 4 m.
À (45) 51 [57] cm de haut. tot., pour l'encolure, rab. les (12) 14
[14] m. du milieu, et term. ch. côté séparément en dim. côté
encolure, ts les 2 rgs, 1 fs (4) 4 [5] m., 1 fs 2 m. et (1) 1 [2] fs 1 m.
À (49) 55 [61] cm de haut. tot., rab. pour l'épaule, les (19) 21 [22]
m. restantes.

• Dos gauche
Monter (26) 29 [32] m. Bronze sur les aig. et tric. 2 rgs en côtes
1/1, puis cont. en jersey endr. rayé, en comm. par 4 rgs Bronze,
et en augm. de ch. côté, (4 fs 1 m. ts les 6 rgs et 3 fs 1 m. ts les
8 rgs) 7 fs 1 m. ts les 8 rgs [7 fs 1 m. ts les 10 rgs].
À (15) 18 [21] cm de haut. tot., augm. 1 m. à droite. Cont. droit sur
les (41) 44 [47] m. obtenues.
À (29) 34 [39] cm de haut. tot., rab. à gauche, 5 fs 1 m. ts les 6 rgs.
À (37) 42 [47] cm de haut. tot., pour l'emmanchure, rab. à droite,
1 fs 4 m.
A (48) 54 [60] cm de haut. tot., pour l'encolure, rab. à droite,
ts les 2 rgs, (1 fs 7 m. et 1 fs 6 m.) 2 fs 7 m. [2 fs 8 m.].
À (49) 55 [61] cm de haut. tot., rab. pour l'épaule, les (19)
21 [22] m. restantes.

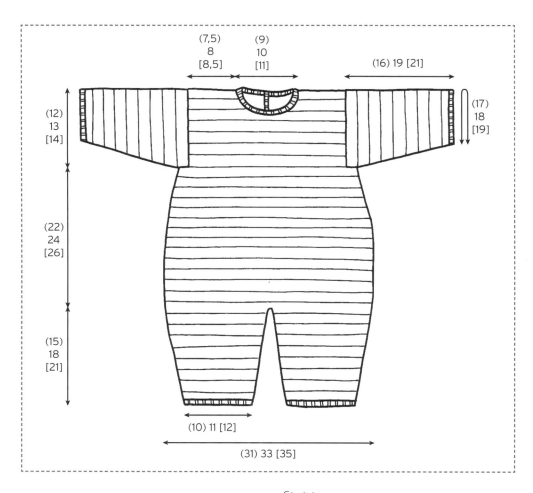

(7,5)
8
[8,5]

(9)
10
[11]

(16) 19 [21]

(12)
13
[14]

(17)
18
[19]

(22)
24
[26]

(15)
18
[21]

(10) 11 [12]

(31) 33 [35]

• Dos droit

Il se tric. comme le dos gauche, en vis-à-vis.

• Manches

Monter (45) 47 [49] m. Bronze sur les aig. et tric. 2 rgs en côtes 1/1, puis cont. en jersey endr. rayé, en comm. par 4 rgs Bronze, et en augm. de ch. côté, (4 fs 1 m. ts les 4 rgs et 5 fs 1 m. ts les 6 rgs) 10 fs 1 m. ts les 6 rgs [4 fs 1 m. ts les 4 rgs et 8 fs 1 m. ts les 6 rgs].
A (16) 19 [21 cm] de haut. tot., rab. les (63) 67 [73] m. obtenues.

Finitions

Fermer les épaules, les côtés et les jambes.
Relever au bord de l'encolure, (65) 73 [79] m. sur les aig., avec le col. Perruche, et tric. 1 cm en côtes 1/1 puis rab. les m. en les tric. comme elles se présentent.
Monter les manches et les fermer. Coudre la fermeture à glissière sur les dos.

un chaton fluo

Une salopette toute simple, accompagnée d'un joyeux chaton qui joue patte de velours sous une petite couverture moelleuse.

La salopette ★

Tailles

(3 mois) 6 mois [12 mois]

Fournitures

Laines Phildar :
• Qualité Sport'Laine (51 % laine et 49 % acrylique – 50 g = 76 m), coloris Fuchsia/098.
3 mois : 200 g.
6 mois : 200 g.
12 mois : 250 g.
2 boutons.
Aig. n° 5.

Points employés

Point mousse : tric. tous les rgs à l'endr.
Surjet simple (s.s.) : glisser 1 m. sans la tric., tric. la m. suiv. à l'endr. et rab. la m. glissée sur la m. tric.

Échantillon

Carré de 10 cm en point mousse avec les aig. n° 5 = 17 m. et 34 rgs.

Réalisation

• Dos

Commencer par une jambe.
Monter (22) 24 [26] m. sur les aig. et tric. en point mousse.
À (16) 19 [22] cm de haut. tot., laisser les m. en attente.
Tric. la 2e jambe sembl., puis ajouter à la suite, 3 m. pour l'entrejambe et reprendre les m. de la 1re jambe. Cont. sur les (47) 51 [55] m. obtenues.
À (27) 31 [35] cm de haut. tot., former de chaque côté, à 1 m. des bords, 5 fs 1 dim. ts les 4 rgs. À droite, faire 1 s.s. et à gauche, tric. 2 m. ens.
À (35) 39 [45] cm de haut. tot., pour les emmanchures, rab. de chaque côté, ts les 2 rgs : 1 fs 3 m., 1 fs 2 m. et 1 fs 1 m.
À (41) 46 [52] cm de haut. tot., pour l'encolure, rab. les (7) 7 [9] m. du milieu et term. ch. côté séparément en rab. côté encolure, ts les 2 rgs : 1 fs (2) 3 [3] m., et 2 fs 1 m. Cont. droit sur les (5) 6 [7] m. rest. pour l'épaule. À (48) 53 [60] cm de haut. tot., rab. les m.

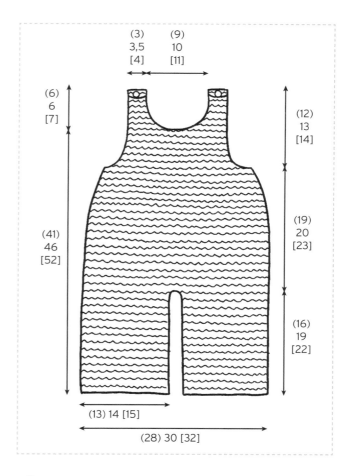

• Devant

Il se tric. comme le dos, mais en formant à (47) 52 [59] cm de haut. tot., une boutonnière d'1 m. au milieu de chaque bretelle.

Finitions

Fermer les côtés et les jambes.
Coudre les boutons sur les bretelles du dos à 1 cm du bord.

La couverture ★

Taille

60 x 68 cm

Fournitures

Laines Phildar :
• Qualité Phil'Chenille (94 % polyester et 6 % polyamide – 50 g = 60 m), coloris Anisé/002, Clémentine/004, Fuchsia/005, Mandarine/006 et Starlette/009.
Il faut 50 g de chacun des coloris.
Aig. n° 5.

Point employé

Point mousse : tric. tous les rgs à l'endr.

Échantillon

Carré de 10 cm en point mousse avec les aig. n° 5 = 14 m. et 32 rgs.

Réalisation

Monter sur les aig., 17 m. Fuchsia, puis 17 m. Starlette, 17 m. Anisé, 17 m. Mandarine et 17 m. Clémentine. Tric. en point mousse pendant 36 rgs en croisant bien les fils à chaque changement de coloris, puis cont. en suiv. le schéma et en tric. tjrs 36 rgs dans chaque coloris.
Après la dernière rangée de carrés, rab. les m. Rentrer tous les fils.

Le chat ★★

Fournitures

Laines Phildar :
• Qualité Phil'Chenille (94 % polyester et 6 % polyamide – 50 g = 60 m), coloris Anisé/002, Clémentine/004, Fuchsia/005, Mandarine/006 et Starlette/009.
Il faut 50 g de chacun des coloris.
Bourre synthétique
Aig. n° 5.

Points employés

Jersey endroit : 1 rg endr., 1 rg env.
Point de riz : 1er rg : *1 m. endr., 1 m. env.*, répéter de * à * **2e rg :** *1 m. env., 1 m. endr.*. Répéter ces 2 rgs.
Surjet simple (s.s.) : glisser 1 m. sans la tric., tric. la m. suiv. à l'endr. et rab. la m. glissée sur la m. tric.
Surjet double (s. dble) : glisser 1 m. sans la tric., tric. 2 m. ens. à l'endr. et rab. la m. glissée sur la m. obtenue.
Broderie : point de piqûre et point de m. en reformant chaque m. de 2 points en V.

Échantillon

Carré de 10 cm en jersey endr. avec les aig. n° 5 = 13 m. et 20 rgs.

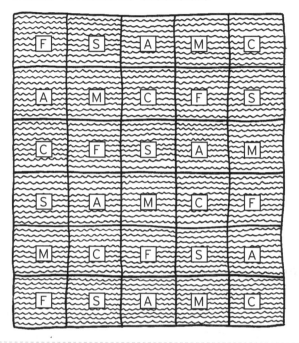

F : fuchsia   S : starlette
A : anisé   M : mandarine   C : clémentine

Réalisation

• Dos

Monter 17 m. Anisé sur les aig. et tric. en jersey endr. en augm. de ch. côté, 3 fs 1 m. ts les 2 rgs, puis tric. 6 rgs sur les 23 m. obtenues et dim. de ch. côté, 5 fs1m. ts les 4 rgs. Tric. 12 rgs sur les 13 m. rest. puis rab. les m.

• Devant

Monter 17 m. Anisé sur les aig. et tric. en jersey endr. en augm. de ch. côté, 4 fs 1 m. ts les 2 rgs, puis tric. 12 rgs sur les 25 m. obtenues et comm. les dim. Tric. 1 m. endr., 1 s.s., 8 m. endr., 1 s. dble, 8 m., 2 m. ens. et 1 m. endr. Répéter ces dim. encore 2 fs ts les 4 rgs en les plaçant les unes au-dessus des autres. Tric. 12 rgs sur les 13 m. rest. puis rab. les m.

• Devant de la tête

Commencer par le haut. Monter 7 m. Fuchsia sur les aig. et tric. en jersey endr. en augm. de ch. côté, 7 fs 1 m. ts les rgs. Tric. 6 rgs sur les 21 m. obtenues, puis 1 rg en formant un s. dble sur les 3 m. du milieu. Répéter cette dim. encore 1 fs 2 rgs au-dessus, puis tric. 4 rgs, et rab. de ch. côté, ts les 2 rgs, 1 fs 2 m., 1 fs 4 m., et les 5 m. rest.

• Arrière de la tête

Commencer par le haut. Monter 7 m. Fuchsia sur les aig., et tric. en jersey endr. en augm. de ch. côté, 5 fs 1 m. ts les 2 rgs. Tric. 10 rgs sur les 17 m. obtenues, puis rab. de ch. côté, ts les 2 rgs, 1 fs 2 m., 1 fs 4 m., et les 5 m. rest.

• Oreilles

Monter 9 m. Mandarine sur les aig. et tric. en point de riz en dim. de ch. côté 3 fs 1 m. ts les 2 rgs, puis tric. les 3 dern. m. ens.

• Bras

Monter 17 m. Mandarine sur les aig., puis tric. en jersey endr. Au 5e rg, tric. 3 m., 2 m. ens., 7 m., 2 m. ens. et 3 m., au 6e rg, tric. 2 m., 3 m. ens., 5 m., 3 m. ens. et 2 m., et au 7e rg, tric. 2 m., 2 m. ens., 3 m., 2 m. ens. et 2 m. Cont. avec le col. Clémentine sur les 9 m. rest. pendant 14 cm puis rab. les m.
Tric. le 2e bras avec les col. Anisé et Starlette.

• Jambes

Monter 18 m. Anisé sur les aig., puis tric. en jersey endr., 2 rgs, puis cont. avec le col. Mandarine. Au 7e rg, comm. les dim. du dessus du pied, tric. 8 m., 2 m. ens. et 8 m. Au rg suiv., tric. 7 m., 3 m. ens., 7 m. Répéter cette dble dim. sur les 3 m. du milieu, encore 3 fs ts les rgs. Puis tric. 14 cm sur les 9 m. rest. et rab. les m. Tric. la 2e jambe avec les col. Starlette et Fuchsia.

• Queue

Monter 9 m. Anisé sur les aig. et tric. en jersey endr. pendant 19 cm, puis dim. de ch. côté, 3 fs 1 m. ts les 2 rgs et rab ; les 3 m. rest.

Finitions

Broder le visage du chat sur le devant de la tête en comm. au-dessus de la dim. Assembler le dos et le devant en laissant le bas ouvert, et coudre les oreilles.
Assembler le dos et le devant du corps en laissant une ouverture pour la tête, les bras et les jambes et le bourrer.
Fermer les bras, les jambes et la queue en laissant le haut ouvert, puis les bourrer et les coudre sur le corps.
Bourrer la tête et la coudre.

Les accessoires ★

Fournitures

Laines Phildar :
Qualité Phil'Chenille (94 % polyester et 6 % polyamide − 50 g = 60 m), coloris Anisé/002, Clémentine/004, Fuchsia/005, Mandarine/006 et Starlette/009.
Il faut 50 g de chacun des coloris.
Aig. n° 5.

Points employés

Jersey endroit : 1 rg endr., 1 rg env.
Point mousse : tric. tous les rgs à l'endr.
Point de riz : 1er rg : *1 m. endr., 1 m. env.*, répéter de * à *
2e rg : *1 m. env., 1 m. endr.*. Répéter ces 2 rgs.
Surjet simple (s.s.) : glisser 1 m. sans la tric., tric. la m. suiv. à l'endr. et rab. la m. glissée sur la m. tric.
Broderie : point de piqûre et point de m. en reformant chaque m. de 2 points en V.

Échantillon

Carré de 10 cm en jersey endr. avec les aig. n° 5 = 13 m. et 20 rgs.

Réalisations
Taille 6 mois

• Chaussons
Monter pour la semelle, 5 m. Starlette sur les aig. et tric.
en jersey endr. jacquard en suiv. la grille. Rab. les 5 m. rest.
Monter pour le pied, 31 m. Fuchsia sur les aig. et tric. en jersey
endr. 6 rgs puis couper le fil. Laisser les 13 m. de chaque côté
en attente et pour le dessus du pied, ne cont. que sur les 5 m.
du milieu. Tric. 4 m., puis glisser la m. suiv., tric. la 1re des m. en
attente, et rab. la m. glissée sur la m. tric., tourner*, répéter
de * à * jusqu'à ce qu'il ne reste que 7 m. en attente de ch. côté.
Couper le fil. Reprendre les 7 m. de droite, puis à la suite,
les 5 m. du dessus de pied et les 7 m. de gauche. Tric. 10 rgs sur
les 19 m. obtenues et rab. les m.
Rentrer les fils, puis coudre la semelle sur le pied du chausson
et le fermer.
Tric. un 2e chausson sembl. avec les col. Anisé et Clémentine
pour la semelle, et le col. Mandarine pour le pied.

• Bonnet
Monter 55 m. Anisé sur les aig. et tric. en jersey endr.
À 5 cm de haut., comm. les dim. ainsi : tric.12 m., 3 m. ens.,
25 m., 3 m. ens. et 12 m. Répéter ces dim. encore 6 fs ts les 2 rgs
en les plaçant tjrs les unes au-dessus des autres, puis rab. les
27 m. rest.
Monter pour chaque oreille 11 m. Mandarine sur les aig. et tric.
en point de riz en dim. de ch. côté, 4 fs 1 m. ts les 2 rgs, puis tric.
les 3 dern. m. ens.
Fermer le bonnet, puis broder le visage en comm. à 1,5 cm
du bas, et coudre les oreilles en haut.

• Écharpe
Monter 90 m. Clémentine sur les aig. et tric. en point mousse,
4 rgs Clémentine, 4 rgs Mandarine, 4 rgs Anisé, 4 rgs Starlette
et 4 rgs Fuchsia. En même temps, pour la fente, au 2e rg Anisé,
tric. 16 m., rab. 10 m. et tric. 64 m.
Remonter les m. au rg suiv.
Rentrer tous les fils.

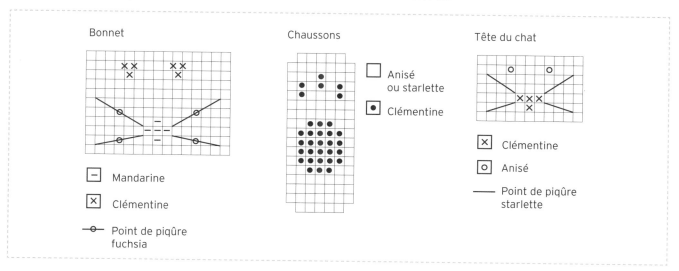

la côte a la cote

Des formes simples et un point unique pour une panoplie tonique.

Le pull ★★

Tailles
(3mois) 6 mois [12 mois]

Fournitures
Laines Phildar :
• Qualité Lambswool (51 % laine d'agneau et 49 % acrylique –
50 g = 134 m), coloris Minerai/094, Pomme/099, Perruche/093
et Curaçao/002.
3 mois : 100 g Minerai et quelques g des 3 autres coloris.
6 mois : 150 g Minerai et quelques g des 3 autres coloris.
12 mois : 200 g Minerai et quelques g des 3 autres coloris.
2 fermetures à glissière de 10 cm coloris noir.
Aig. n° 3.

Points employés
Côtes 2/2 : 2 m. endr., 2 m. env.
Côtes 2/2 rayées : *10 rgs Minerai, 2 rgs en tric. au 1er rg, les
m. endr. avec le col. Minerai et les m. env. avec le col. Perruche,
et au 2e rg, tric. les m. avec les mêmes col., 10 rgs Minerai,
2 rgs Minerai et Pomme, 10 rgs Minerai, 2 rgs Minerai et
Curaçao*, répéter de * à *.
Surjet simple (s.s.) : glisser 1 m. sans la tric., tric. la m. suiv.
à l'endr. et rab. la m. glissée sur la m. tric.
Surjet double (s. dble) : glisser 1 m. sans la tric., tric. 2 m. ens.
à l'endr. et rab. la m. glissée sur la m. obtenue.

Échantillon
Carré de 10 cm en côtes 2/2 légèrement détendues en largeur,
avec les aig. n° 3 = 33 m. et 37 rgs.

Réalisation

• Dos
Monter (84) 90 [96] m. Minerai sur les aig., et tric. en côtes 2/2
rayées en comm. par (1m. env.) 2 m. endr. [1 m. env.].
À (12) 14 [16] cm de haut. tot., pour les raglans, rab. de ch. côté,
1 fs 4 m., puis former à 1 m. des bords, ts les 2 rgs, *1 fs 1 dble
dim. et 1 fs 1 dim.*, répéter de * à * 8 fs au total, puis (3) 5 [7] fs
1 dim.
À droite, tric. 2 ou 3 m. ens. à l'endr., et à gauche, faire 1 s.s. ou
1 s. dble.
À (23) 26 [29] cm de haut. tot., pour l'encolure, rab. les (22)
24 [26] m. rest.

• Devant
Commencer comme le dos.
À (12) 14 [16] cm de haut. tot., pour les raglans, rab. de ch. côté,
1 fs 4 m., puis former à 1 m. des bords, ts les 2 rgs, *1 fs 1 dble
dim. et 1 fs 1 dim.*, répéter de* à *(8) 9 [8] fs au total, puis faire
(1 fs 1dble dim.) 1 fs 1 dim. [5 fs 1 dim.].
À (20) 23 [26] cm de haut. tot., pour l'encolure, rab. les (6)
8 [12] m. du milieu et term. ch. côté séparément, en rab.
vers le milieu, ts les 2 rgs, 3 fs 2 m., 1 fs 1 m. et les 2 m. rest.

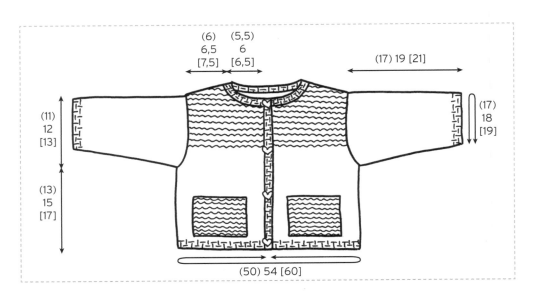

(6) (5,5)
6,5 6
[7,5] [6,5]

(17) 19 [21]

(11)
12
[13]

(17)
18
[19]

(13)
15
[17]

(50) 54 [60]

• Manche droite

Monter (44) 46 [50] m. Minerai sur les aig., et tric. en côtes 2/2 rayées en comm. par (1m. env.) 2 m. endr. [2 m. endr.], et en augm. de ch. côté (3 fs 1 m. ts les 2 rgs et 8 fs 1 m. ts les 4 rgs) 3 fs 1 m. ts les 2 rgs et 10 fs 1 m. ts les 4 rgs [14 fs 1 m. ts les 4 rgs].
À (12) 14 [16] cm de haut. tot., pour les raglans, rab. de ch. côté, 1 fs 4 m., puis former à 1 m. des bords, à droite, les mêmes dim. qu'au devant et à gauche, les mêmes qu'au dos. Après la dern. dim. à droite, rab. à droite, ts les 2 rgs (1 fs 3 m. et 1 fs 2 m.) 1 fs 4 m. et 1 fs 3 m. [2 fs 5 m.].

• Manche gauche

Elle se tric. en vis-à-vis de la manche droite.

Finitions

Monter les manches sur les raglans du dos.
Relever avec les aig. et le col. Minerai, (34) 38 [46] m. sur les manches et l'encolure du dos, et tric. 1 rg en rab. les m.
Tric. la même bordure sur le devant, en relevant (38) 42 [46] m.
Coudre les fermetures à glissière sur les raglans du devant et des manches. Fermer les manches et les côtés du pull.

Le caleçon ★

Tailles
(3 mois) 6 mois [12 mois]

Fournitures
Laines Phildar :
• Qualité Lambswool (51 % laine d'agneau et 49 % acrylique − 50 g = 134 m), coloris Pomme/099, Perruche/093 et Curaçao/002.
Pour les 3 tailles : 50 g de chaque coloris.
Aig. n° 3.

Points employés
Côtes 2/2 : 2 m. endr., 2 m. env.
Côtes 2/2 rayées : * 4 rgs Perruche, 4 rgs Pomme, 4 rgs Curaçao*, répéter de * à *.

Échantillon
Un carré de 10 cm en côtes 2/2 légèrement détendues en largeur, avec les aig. n° 3 = 33 m. et 37 rgs.

Réalisation
Le pantalon se tric. en un seul morceau et se commence par la jambe droite.

Monter (62) 68 [76] m. Perruche sur les aig. et tric. en côtes 2/2 rayées en comm. par 1 m. env. et 2 m. endr., et en augm. de ch. côté, (3 fs 1 m. ts les 8 rgs et 3 fs 1 m. ts les 10 rgs) 3 fs 1 m. ts les 10 rgs et 3 fs 1 m. ts les 12 rgs [3 fs 1 m. ts les 12 rgs et 3 fs 1 m. ts les 14 rgs].
À (17) 20 [23] cm de haut. tot. (= (64) 74 [86] rgs), laisser les (74) 80 [88] m. obtenues en attente.
Tric. la jambe gauche sembl., en comm. les côtes par (1 m. endr. et 2 m. env.) 1 m. env. et 2 m. endr. [1 m. env. et 2 m. endr.].
Monter sur une aig., 3 m. (Pomme) Perruche [Perruche], puis tric. à la suite, les m. de la jambe gauche, monter 4 m. (Pomme) Perruche [Perruche], tric. les m. de la jambe droite et ajouter 3 m. (Pomme) Perruche [Perruche]. Cont. droit sur les (158) 170 [186] m. obtenues.
À (33) 38 [43] cm de haut. tot., rab. les m. en les tric. comme elles se présentent.

Finitions
Fermer le dos du pantalon et les jambes.

Le bonnet ★

Taille
Unique

Fournitures
Laines Phildar :
• Qualité Lambswool (51 % laine d'agneau et 49 % acrylique −. 50 g = 134 m), coloris Minerai/094, Pomme/099, Perruche/093 et Curaçao/002.
50 g Minerai et quelques g des 3 autres coloris.
Aig. n° 3.

Points employés
Voir le pull.

Échantillon
Voir le pull

Réalisation
Monter 54 m. Minerai sur les aig., et tric. 14 cm en côtes 2/2 rayées puis rab. les m.
Tric un 2ᵉ morceau sembl.
Assembler les 2 morceaux sur 3 côtés.

Pour le pied, monter 62 (68) m. Minerai sur les aig. et tric. en côtes 2/2 en comm. par 2 m. env. (1 m. env. puis 2 m. endr.). Tric. 8 rgs, puis laisser 27 (29) m. de ch. côté en attente et pour le dessus du pied, ne cont. que sur les 8 (10) m. du milieu. Tric. *7 (9) m., puis glisser la m. suiv., tric. la 1re des m. en attente, et rab. la m. glissée sur la m. tric., tourner*, répéter de * à * jusqu'à ce qu'il ne reste que 19 (21) m. en attente de ch. côté. Couper le fil. Reprendre les 19 (21) m. de droite, puis à la suite, les 8 (10) m. du dessus de pied et les 19 (21) m. de gauche. Tric. 3 cm en côtes 2/2 sur les 46 (52) m., puis rab. les m. en les tric. comme elles se présentent.
Fermer le dos du chausson et coudre la semelle.
Tric. un 2e chausson sembl.

L'écharpe ★

Fournitures
Laines Phildar :
• Qualité Lambswool (51 % laine d'agneau et 49 % acrylique − 50 g = 134 m), coloris Pomme/099, Perruche/093 et Curaçao/002.
Il faut 50 g de chaque coloris.
Aig. n° 3.

Points employés
Voir le pantalon.

Échantillon
Voir le pantalon.

Réalisation
Monter 30 m. Perruche sur les aig. et tric. 80 cm en côtes 2/2 rayées puis rab. les m.

Les chaussons ★★

Tailles
3 mois (6 mois)

Fournitures
Laines Philda :
• Qualité Lambswool (51 % laine d'agneau et 49 % acrylique − 50 g = 134 m), coloris Minerai/094, Pomme/099, Perruche/093 et Curaçao/002.
Il faut 20 g Minerai et quelques g des 3 autres col.
Aig. n° 3.

Points employés
Voir le pantalon.

Réalisation
Commencer par la semelle.
Monter 11 (13) m. Curaçao sur les aig. et tric. 28 (32) rgs en côtes rayées puis rab. les m.

un petit chaperon rose

Un douillet petit manteau aux formes généreuses, qui se portera sur tout.

Le manteau ★

Tailles
(3 mois) 6 mois [12 mois]

Fournitures
Laines Phildar :
• Qualité Partner (50 % polyamide, 25 % laine peignée et 25 % acrylique), coloris Pétunia/016.
3 mois : 250 g
6 mois : 350 g.
12 mois : 400 g.
4 boutons.
Aig. n°4 1/2.

Points employés
Point mousse : tric. ts les rgs à l'endr.
Côtes 1/1 : 1 m. endr., 1 m. env.

Échantillon
Carré de 10 cm en point mousse avec les aig. n° 4 1/2 = 20 m. et 38 rgs.

Réalisation

• Dos
Monter (60) 64 [68] m sur les aig. et tric. en point mousse en dim. de ch. côté 4 fs 1 m. ts les (14) 18 [22] rgs.
À (18) 21 [25] cm de haut. tot., pour les emmanchures, rab. de ch. côté, ts les 2 rgs,1 fs 3 m., 1 fs 2 m. et 1 fs 1 m.
À (28) 32 [37] cm de haut. tot., former en même temps les épaules et l'encolure. Pour les épaules, rab. de ch. côté, ts les 2 rgs (1 fs 5 m. et 1 fs 6 m.) 2 fs 6 m. [1 fs 6 m. et 1 fs 7 m.], et pour l'encolure, rab. les (10) 12 [14] m. du milieu et term. ch. côté séparément, en rab. côté encolure,1 fs 4 m. 2 rgs au-dessus.

• Devant droit
Monter (34) 36 [38] m. sur les aig., et tric. en point mousse en dim. à droite, 4 fs 1 m. ts les (14) 18 [22] rgs.
En même temps, à (9) 10 [11] cm de haut. tot., former 1 boutonnière d' 1 m. à 3 m. du bord droit. Répéter celle-ci encore 3 fois ts les (4) 5 [6] cm.
À (18) 21 [25] cm de haut. tot., pour l' emmanchure, rab. à gauche, ts les 2 rgs, 1 fs 3 m., 1 fs 2 m. et 1 fs 1 m.

À (25) 29 [33] cm de haut. tot., pour l'encolure, rab. à droite, ts les 2 rgs, 1 fs (6) 7 [7] m., 1 fs (3) 3 [4] m., 1 fs 2 m. et 2 fs 1 m.
À (28) 32 [37] cm de haut. tot., pour les épaules, rab. à gauche, ts les 2 rgs, (1 fs 5 m. et 1 fs 6 m.) 2 fs 6 m. [1 fs 6 m. et 1 fs 7 m.].

• Devant gauche
Il se tric. comme le devant droit mais sans former les boutonnières.

• Manches
Monter (30) 32 [34] m. sur les aig., et tric. en point mousse en augm. de ch. côté, ts les (5) 6 [7] fs 1 m. ts les 10 rgs.
À (16) 18 [21] cm de haut. tot., rab. de ch. côté, ts les 2 rgs : 1 fs 3 m., 1 fs (2) 3 [4] m., 1 fs (1) 2 [2] m. puis les (28) 28 [30] m. rest.

• Capuche
Monter (76) 80 [84] m. sur les aig. et tric. en point mousse.
À (10) 11 [11] cm de haut. tot., rab. de ch. côté, ts les 2 rgs : 1 fs 6 m., puis *1 fs 5 m., 1 fs 6 m.*, répéter 2 fs au total de * à *, puis 4 fs 1 m. ts les 8 rgs.
À (27) 28 [29] cm de haut. tot., rab. les (12) 16 [20] m. restantes.

Finitions
Fermer les épaules et les côtés du manteau.
Fermer la capuche et la monter sur encolure en gardant 2 cm libre de chaque côté.
Fermer les manches et les monter.
Coudre les boutons.

Les accessoires ★★

Tailles
(3 mois) 6 mois [12 mois]

Fournitures
Laines Phildar :
• Qualité Bowling (100 % polyamide - 25 g = 47 m), coloris Folk/003.
• Qualité Lambswool (51 % laine d'agneau et 49 % acrylique − 50 g = 134 m), col. Fuchsia/004
Il faut 50 g Folk et 50 g Fuchsia.
Aig. n° 4 1/2.

Points employés
Côtes 1/1 : 1 m. endr., 1 m. env.

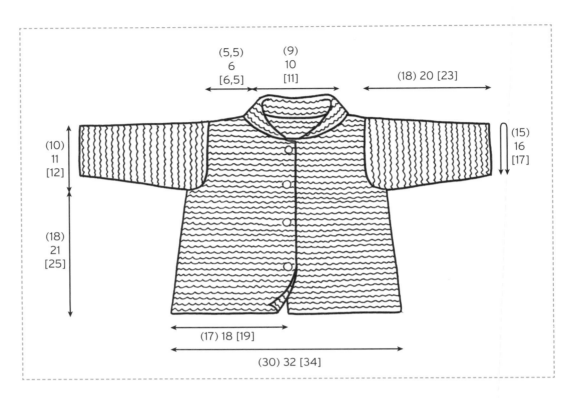

Augmentation : tric. 1 m. torse en piquant l'aig. sous le fil qui relie 2 m.

Échantillon

Carré de 10 cm en côtes 1/1 avec les aig. n° 4 1/2 et les 2 fils ensemble = 20 m. et 28 rgs.

Réalisation

• Bonnet

Il est tric. en prenant les 2 fils ensemble.
Monter (79) 87 [95] m. sur les aig. avec les 2 fils et tric. en côtes 1/1.
À (8) 9 [10] cm de haut. tot. commencer les dim. Tric. 8 *3 m. ens., (12) 14 [16] m.*, répéter 4 fs au total, puis 3 m. ens. et 8 m. Répéter ces dim. encore (3) 4 [5] fs ts les 2 rgs, puis 2 fs ts les rgs, en les plaçant les unes au-dessus des autres. Il reste (19) 17 [15] m. Tric. 1 rg en prenant les m. 2 par 2, puis passer le fil dans les (10) 9 [8] m. restantes et serrer pour fermer.
Coudre le bonnet.

• Moufles

Elles sont tric. en prenant les 2 fils ensemble.
Monter (21) 23 [25] m. sur les aig. avec les 2 fils et tric. en côtes 1/1. Tric. 6 rgs puis répartir 4 augm. sur 1 rg ainsi : 1 m., 1 augm., (9) 10 [11] m., 1 augm., 1 m., 1 augm., (9) 10 [11] m., 1 augm. et 1 m., répéter ces augm. encore 1 fs 2 rgs au-dessus, puis tric. 13 rgs et commencer les dim. Tric. 1 m., 2 m. ens., (9) 10 [11] m., 2 m. ens., 1 m., 2 m. ens., (9) 10 [11] m., 2 m. ens. et 1 m. Répéter ces dim. encore (2) 2 [3] fs ts les 2 rgs en les plaçant les unes au-dessus des autres, puis rab. les (17) 19 [17] m. rest. Fermer les moufles.
Faire une tresse de 70 cm de long avec les 2 fils et coudre chaque extrémité sur la couture intérieure du poignet.

bébés "très sages"

marin malin

marin malin

Brun chocolat et bleu couleur d'azur : des rayures marines viennent égayer des modèles simples et pratiques.

La veste rayée ★

Tailles
(6 mois) 12 mois [18 mois]

Fournitures
Laines Phildar :
• Qualité Phil'Laine (51 % laine et 49 % acrylique - 50 g = 126 m), coloris Chocolat /121, Lin/098, Ciel/028 et Igloo/044.
6 mois : 100 g Lin et 50 g des 3 autres coloris.
12 mois : 150 g Lin et 50 g des 3 autres coloris.
18 mois : 150 g Lin et 50 g des 3 autres coloris.
(5) 6 [6] petits boutons.
Aig. n° 3 et 3 1/2.

Points employés
Côtes 2/2 : 2 m. endr., 2 m. env.
Jersey endroit : 1 rg endr., 1 rg env.
Jersey endroit rayé : *4 rgs Chocolat, 4 rgs Lin, 4 rgs Igloo et 4 rgs Ciel*. Répéter de *à *.

Échantillon
Carré de 10 cm en jersey endr. avec les aig. n° 3 1/2 = 23 m. et 30 rgs.

Réalisation

• Dos
Monter (62) 66 [72] m. Lin sur les aig. n° 3, et tric. 1,5 cm en côtes 2/2 en comm. par (2 m. env.) 2 m. endr. [1 m. env.]. Avec les aig. n° 3 1/2, cont. en jersey endr.
A (18) 20 [22] cm de haut. tot., pour les emmanchures, rab. de ch. côté, ts les 2 rgs, 1 fs 3 m., 1 fs 2 m. et 2 fs 1 m.
A (30) 33 [36] cm de haut. tot., pour l'encolure, rab. les (14) 16 [18] m. du milieu et term. ch. côté séparément, en rab. côté encolure, 1 fs 6 m., 2 rgs au-dessus.
A (31) 34 [37] cm de haut. tot., pour l'épaule, rabattre les (11) 12 [14] m. restantes.

• Devant gauche
Monter (32) 34 [37] m. Lin sur les aig. n° 3, et tric. 1,5 cm en côtes 2/2 en comm. par (1 m. env.) 1 m. endr. [2 m. env.]. Avec les aig. n° 3 1/2, cont. en jersey endr. rayé.

A (18) 20 [22] cm de haut. tot., pour l'emmanchure, rab. à droite, ts les 2 rgs, 1 fs 3 m., 1 fs 2 m. et 2 fs 1 m.
A (27) 30 [33] cm de haut. tot., pour l'encolure, rab. à gauche, ts les 2 rgs, 1 fs 6 m., 1 fs (3) 4 [5] m., 1 fs 3 m. et 2 fs 1 m.
A (31) 34 [37] cm de haut. tot., pour l'épaule, rab. les (11) 12 [14] m. restantes.

• Devant droit
Il se tric. en vis-à-vis du devant gauche.

• Manche
Monter (36) 40 [42] m. Lin sur les aig. n° 3, et tric. 1,5 cm en côtes 2/2. Avec les aig. n° 3 1/2, cont. en jersey endr. uni en augm. de ch. côté (3 fs 1m. ts les 2 rgs et 9 fs 1 m. ts les 4 rgs) 12 fs 1 m. ts les 4 rgs [14 fs 1 m. ts les 4 rgs].
A (17,5) 19,5 [22,5] cm de haut. tot., rab. de ch. côté, ts les 2 rgs , 2 fs 1m., 1 fs 2 m., 1 fs 3 m., puis rab. les (46) 50 [56] m. restantes.

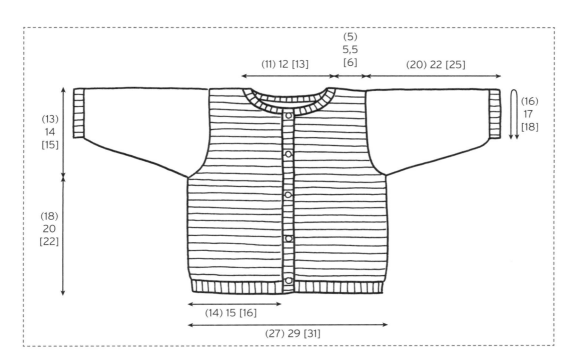

Finitions

Fermer les épaules.

Relever autour de l'encolure, (68) 72 [76] m. Lin sur les aig. n° 3, et tric. 1,5 cm en côtes 2/2 avec 1m. lis. de ch. côté, puis rab. les m. en les tric. comme elles se présentent.

Relever au bord du devant gauche, (68) 76 [84] m. Lin sur les aig. n° 3, et tric. 1,5 cm en côtes 2/2, en formant au 2e rg, (5) 6 [6] boutonnières de 2 m., la 1re à (3) 2 [4] m. du bord et les suiv. espacées de (13) 12 [13] m., puis rab. les m. en les tric. comme elles se présentent.

Tricoter la même bordure sur le devant droit mais sans former les boutonnières.

Monter les manches et les fermer ainsi que les côtés de la veste.

Coudre les boutons sur le devant droit.

La salopette ★

Tailles

(6 mois) 12 mois [18 mois]

Fournitures

Laines Phildar :

• Qualité Phil'Laine (51 % laine et 49 % acrylique - 50 g = 126 m), coloris Chocolat /121, Lin/098, Ciel/028 et Igloo/044.

6 mois : 150 g Chocolat et 50 g des 3 autres coloris.
12 mois : 150 g Chocolat et 50 g des 3 autres coloris.
18 mois : 200 g Chocolat et 50 g des 3 autres coloris.
2 petits boutons.
Aig. n° 3 et 3 1/2.

Points employés

Côtes 2/2 : 2 m. endr., 2 m. env.
Jersey endroit : 1 rg endr., 1 rg env.
Jersey endroit rayé : *4 rgs Igloo, 4 rgs Ciel, 4 rgs Chocolat, 4 rgs Lin*. Répéter de *à *.
Surjet simple (s.s.) : glisser 1 m. sans la tric., tric. la m. suiv. à l'endr. et rab. la m. glissée sur la m. tric.

Échantillon

Carré de 10 cm en jersey endr. avec les aig. n° 3 1/2 = 23 m. et 30 rgs.

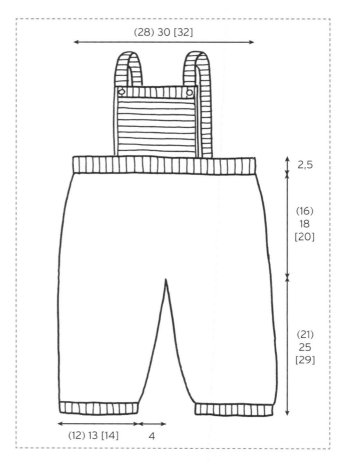

(28) 30 [32]

2,5

(16) 18 [20]

(21) 25 [29]

(12) 13 [14]   4

Réalisation

• Devant

Commencer par la jambe droite.

Monter (28) 30 [32] m. Lin sur les aig. n° 3, et tric. 1,5 cm en côtes 2/2. Avec les aig. n° 3 1/2 et le col. Chocolat, cont. en jersey endr. en formant 1 augm. sur le 1er rg pour la taille 18 mois. Augm. à droite (9 fs 1 m. ts les 6 rgs) 4 fs 1 m. ts les 6 rgs et 5 fs 1 m. ts les 8 rgs [7 fs 1 m. ts les 8 rgs et 2 fs 1 m. ts les 10 rgs]. A (21) 25 [29] cm de haut. tot., laisser les (37) 39 [42] m. obtenues en attente.

Tric. la jambe gauche en vis-à-vis, puis reprendre les m. de la 1re jambe et cont. sur les (74) 78 [84] m. obtenues en formant 2 dim. au milieu ainsi : tric. (35) 37 [40] m., 2 m ens., 1 s.s. et (35) 37 [40] m. Répéter ces dim. encore 4 fs ts les 2 rgs en les plaçant les unes au-dessus des autres puis cont. droit sur les (64) 68 [74] m. rest. A (37) 43 [49] cm de haut. tot., tric. 2,5 cm en côtes 2/2 avec les aig. n° 3 et le col. Lin, puis rab. les m. en les tric. comme elles se présentent.

• Dos

Il se tric. comme le devant.

• Bavette

Monter 32 m. Igloo sur les aig. n° 3 1/2, et tric. 36 rgs en jersey endr. rayé, puis avec les aig. n° 3 et le col. Lin, 1,5 cm en côtes 2/2, avec 1 m. lis. de ch. côté, et en formant au 3e rg, une boutonnière d'1 m. à 2 m. des bords. Puis rab. les m. en les tric. comme elles se présentent.

Relever sur ch. côté de la bavette, 26 m. Lin sur les aig. n° 3 1/2, et tric. 1 rg en rab. les m.

• Bretelles

Pour chacune d'elles, monter 64 m. Lin sur les aig. n° 3 et tric. 2,5 cm en côtes 2/2, puis rab. les m. en les tric. comme elles se présentent.

Finitions

Assembler le dos et le devant.

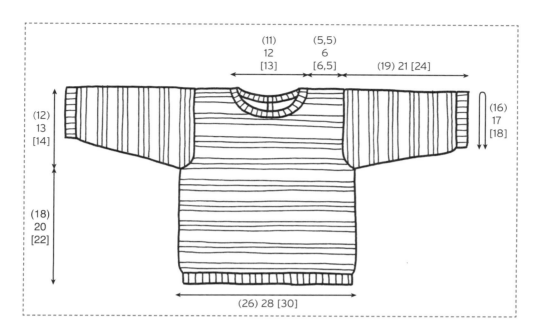

Coudre la bavette, sur l'envers du devant, au ras des côtes. Coudre les bretelles sur le dos, espacées de 8 cm, puis coudre un bouton à chaque extrémité.

Le pull rayé ★

Tailles
(6 mois) 12 mois [18 mois]

Fournitures
Laines Phildar :
• Qualité Phil'Laine (51 % laine et 49 % acrylique - 50 g = 126 m), coloris Chocolat /121, Lin/098, Ciel/028 et Igloo/044.
6 mois : 50î g dans chacun des coloris.
12 mois : 100 g Lin et 50 g des 3 autres coloris.
18 mois : 100 g Lin et 50 g des 3 autres coloris.
3 petits boutons.
Aig. n° 3 et 3 1/2.

Points employés
Côtes 2/2 : 2 m. endr., 2 m. env.
Jersey endroit : 1 rg endr., 1 rg env.
Jersey endroit rayé : *2 rgs Ciel, 2 rgs Igloo, 4 rgs Chocolat, 2 rgs Igloo, 2 rgs Ciel, 4 rgs Lin*. Répéter de *à *.

Échantillon
Carré de 10 cm en jersey endr. avec les aig. n° 31/2 = 23 m. et 30 rgs.

Réalisation

• Dos
Monter (60) 64 [70] m. Lin sur les aig. n° 3, et tric. 1,5 cm en côtes 2/2. Avec les aig. n° 3 1/2, cont. en jersey endr. rayé.
A (18) 20 [22] cm de haut. tot., pour les emmanchures, rab. de ch. côté, ts les 2 rgs, 1 fs 2 m. et 3 fs 1 m.
A (19) 22 [25] cm de haut. tot., pour la fente, rab. les 2 m. du milieu et cont. sur les m. de gauche.
A (28,5) 31,5 [34,5] cm de haut. tot., pour l'encolure, rab. à droite, ts les 2 rgs, 1 fs 9 m. et 1 fs (3) 4 [5] m.
A (30) 33 [36] cm de haut. tot., pour l'épaule, rab. les (12) 13 [15] m. restantes.
Reprendre les m. de droite et term. ce côté en vis-à-vis.

• Devant
Commencer comme le dos.
A (26) 29 [32] cm de haut. tot., pour l'encolure, fermer les (12) 14 [16] m. du milieu et term. ch. côté séparément, en rab. côté encolure, ts les 2 rgs, 1 fs 3 m., 1 fs 2 m. et 2 fs 1 m.
A (30) 33 [36] cm de haut. tot., pr l'épaule, rab. les (12) 13 [15] m. rest.

• Manche
Monter (36) 40 [42] m. Lin sur les aig. n° 3, et tric. 1,5 cm en côtes 2/2. Avec les aig. n° 3 1/2, cont. en jersey endr. rayé en augm. de ch. côté (10 fs 1 m. ts les 4 rgs) 7 fs 1 m. ts les 4 rgs et

3 fs 1 m. ts les 6 rgs [5 fs 1 m. ts les 4 rgs et 6 fs 1 m. ts les 6 rgs].
A (17) 19 [22] cm de haut. tot., rab. de ch. côté, ts les 2 rgs , 1 fs
2 m. et 2 fs 1m., puis rab. les (48) 52 [56] m. rest.

Finitions

Fermer les épaules.
Relever autour de l'encolure, (64) 68 [72] m. Lin sur les aig.
nº 3, et tric. 1,5 cm en côtes 2/2 avec 1 m. lis. de ch. côté,
puis rab. les m. en les tric. comme elles se présentent.
Relever sur le bord gauche de la fente, 30 m. Lin sur les aig.
nº 3 et tric. 1 cm en côtes 2/2, en formant au 2e rg, 3 boutonnières
d'1m., la 1re à 6 m. du bord et les suiv. espacées de 8 m.,
puis rab. les m. en les tric. comme elles se présentent.
Tricoter la même bordure sur le bord droit mais sans former les
boutonnières.
Superposer et coudre la base des bandes de boutonnage.
Monter les manches et les fermer ainsi que les côtés du pull.
Coudre les boutons en vis-à-vis des boutonnières.

Le pull bleu ★

Tailles
(6 mois) 12 mois [18 mois]

Fournitures
Laines Phildar :
• Qualité Phil'Laine (51 % laine et 49 % acrylique - 50 g =
126 m), coloris Ciel/028.
6 mois : 150 g.
12 mois : 200 g.
18 mois : 200 g.
3 petits boutons.
Aig. nº 3 et 3 1/2.

Réalisation
Suivre les explications du pull rayé.

Les socquettes ★★

Tailles
6 mois (12 mois) 18 mois

Fournitures
Laines Phildar :
• Qualité Phil' Laine (51 % laine et 49 % acrylique - 50 g =
126 m), coloris Ciel/028.

6 mois : 20 g.
12 mois : 25 g.
18 mois : 30 g.
Aig. nº 3.

Points employés
Côtes 2/2 : 2 m. endr., 2 m. env.
Jersey endroit : 1 rg endr., 1 rg env.
Surjet simple (s.s.) : glisser 1 m. sans la tric., tric. la m. suiv.
à l'endr. et rab. la m. glissée sur la m. tric.

Échantillon
Carré de 10 cm en jersey endr. avec les aig. nº 3 = 26 m.
et 32 rgs.

Réalisation
Monter (34) 38 [42] m. sur les aig. nº 3, et tric. 1,5 cm en côtes
2/2, puis cont. en jersey endr. en répart. 2 dim. au 1er rg.
A (7) 8 [9] cm de haut. tot., comm. le talon. Tric. (9) 10 [12] m.
endr., tourner, glisser 1 m., tric. (8) 9 [11] m. env., tourner, glisser
1m., tric. (7) 8 [10] m. endr., tourner, glisser 1m., tric. (7) 8 [10] m.
env., tourner, glisser 1m., tric. (6) 7 [9] m. endr., tourner,
glisser 1m., tric. (6) 7 [9] m. env. Cont. ainsi jusqu'à ce qu'il reste
(4) 5 [6] m., puis trav. ainsi : glisser 1m., tric. (3) 4 [5] m. endr.,
tourner, glisser 1m., tric. (3) 4 [5] m. env., tourner, glisser 1 m.,
.tric. (4) 5 [6] m. endr., tourner, glisser 1m., tric. (4) 5 [6] m. env.,
tourner, cont. ainsi jusqu'à obtenir (9) 10 [12] m., puis tric. 1 rg sur
ttes les m. et former la 2e moitié du talon en vis-à-vis sur les (9)
10 [12] m. de gauche. Reprendre le trav. sur ttes les m. Tric. (3,5)
4,5 [5] cm droit, puis pour former la pointe du pied, former 4
dim. sur 1 rg ainsi : tric.(7) 8 [9] m., 2 m. ens.,
1 s.s., (12) 14 [16] m., 2 m. ens., 1 s.s. et (7) 8 [9] m. Répéter ces
dim. encore (5) 5 [6] fs ts les 2 rgs, et sur le dern. rg env., pour
les tailles 12 mois et 18 mois, tric. les m. ens. 2 par 2. Passer le fil
dans les (8) 6 [6] m. rest. et serrer pour fermer.
Fermer la socquette.
Tric. une 2e socquette sembl.

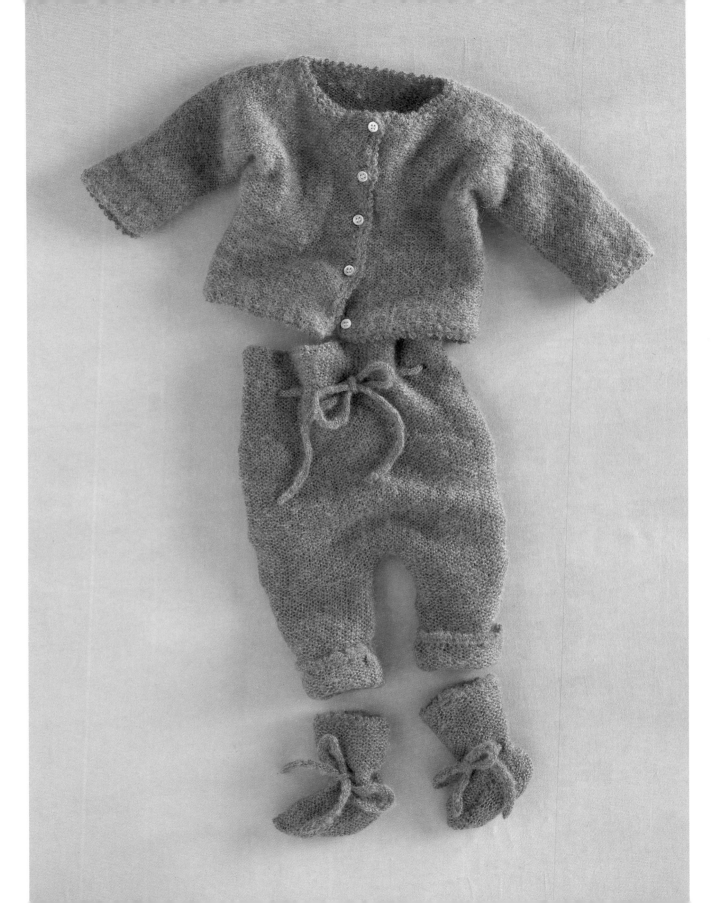

douceur douillette

douceur douillette

Un ensemble entièrement doublé, à porter douillettement sous un burnous.

Le gilet ★★

Tailles

(3 mois) 6 mois [12 mois]

Fournitures

Laines Anny Blatt :
• Qualité Fine Kid (51 % laine et 49 % Kid Mohair – 50 g
= 255 m), coloris Cordouan/126.
3 mois : 100 g.
6 mois : 150 g.
12 mois : 150 g.
4 boutons.
Un crochet n° 2 1/2.
Aig. n° 4.

Points employés

• Aux aiguilles :
Jersey endroit : 1 rg endr., 1 rg env.
Jersey envers : 1 rg env., 1 rg endr.
• Au crochet :
Maille en l'air (ml) : faire 1 jeté que l'on passe au travers
de la boucle qui est sur le crochet.
Maille coulée (mc) : piquer le crochet ds 1 m., 1 jeté, tirer pour
ramener une boucle que l'on passe au travers de celle qui est sur le
crochet.

Maille serrée (ms) : piquer le crochet ds 1 m., 1 jeté, tirer pour
ramener une boucle, 1 jeté que l'on passe au travers des 2 boucles
qui sont sur le crochet.
Picot : *1 ms ds la m. suiv., 3 ml, 1 mc ds la 1re ml*, répéter de * à *.

Échantillon

Carré de 10 cm en jersey env. avec les aig. n° 4 = 20 m.
et 30 rgs.

Réalisation

Toutes les pièces sont tric. une 2e fois pour doubler le vêtement.
Le gilet se tric. en une seule pièce et se commence par le dos.
Monter (50) 54 [58] m. sur les aig., et tric. en jersey env.
À (13) 15 [17] cm de haut. tot., pour les manches, augm. de ch.
côté, ts les 2 rgs (5 fois 6 m.) 1 fs 6 m. et 4 fs 7 m. [5 fs 8 m.]. On
obtient (110) 122 [138] m.
À (24) 27 [30] cm de haut. tot., on est au milieu du trav., pour
l'encolure du dos, rab. les (16) 18 [20] m. du milieu, et cont. sur
les (47) 52 [59] m. de gauche pour le devant gauche, en augm. à
droite pour l'encolure, ts les 2 rgs, (1 fs 1 m., 3 fs 2 m. et 1 fs
4 m.) 1 fs 1 m., 2 fs 2 m., 1 fs 3 m. et 1 fs 4 m. [2 fs 1 m., 2 fs 2 m.,
1 fs 3 m. et 1 fs 4 m.]
À (32) 36 [40] cm de haut. tot., pour term. la manche, rab.
à gauche, ts les 2 rgs (5 fois 6 m.) 4 fs 7 m. et 1 fs 6 m. [5 fs
8 m.]. Cont. droit sur les (28) 30 [32] m. rest.
À (48) 54 [60] cm de haut. tot., rab. les m.

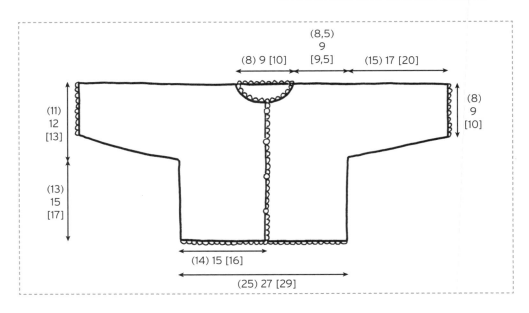

Reprendre les (47) 52 [59] m. de droite et tric. le devant droit en vis-à-vis.

Tric. un 2e morceau semblable.

Finitions

Fermer les manches et les côtés des deux gilets et retourner le 2e sur l'endroit.

Enfiler le 1er gilet dans le 2e, et les assembler par 1 rg de ms et 1 rg de picot, en formant au bord du devant droit, sur le rg en ms, 4 boutonnières de 2 ml, la 1re à l'encolure et les suiv. espacées de (5) 6 [6] cm.

Coudre les boutons sur le devant gauche.

Le pantalon ★★

Tailles

(3 mois) 6 mois [12 mois]

Fournitures

Laines Anny Blatt :

• Qualité Fine Kid (51 % laine et 49 % Kid Mohair − 50 g = 255 m), coloris Bois de rose/054.

3 mois : 100 g.

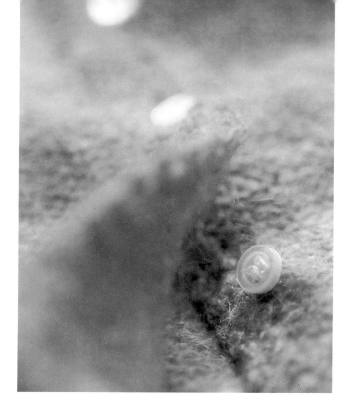

6 mois : 100 g.

12 mois : 150 g.

Un crochet nº 2 1/2.

Aig. nº 4.

Points employés

Voir le gilet

Échantillon

Voir le gilet

Réalisation

Toutes les pièces sont tric. une 2e fois pour doubler le vêtement.

• Devant

Commencer par la jambe droite.

Monter (18) 20 [22] m. sur les aig. et tric. en jersey env.

À 4 cm de haut., augm. à droite (8 fs 1 m. ts les 2 rgs et 1 fs 1 m. ts les 4 rgs) 6 fs 1 m. ts les 4 rgs et 3 fs 1 m. ts les 2 rgs [7 fs 1 m. ts les 4 rgs et 2 fs 1 m. ts les 6 rgs].

À (12) 15 [18] cm de haut. tot., laisser les (27) 29 [31] m. obtenues en attente.

Tric. la jambe gauche en vis-à-vis, puis reprendre à la suite les m. de la 1re jambe et cont. sur les (54) 58 [62] m. obtenues.

À (24) 28 [33] cm de haut. tot., rab. de ch. côté, 1 m., puis 2 fs 1 m. ts les 8 rgs. Cont. droit sur les (48) 52 [56] m. rest.

À (35) 39 [44] cm de haut. tot., rab. les m.

Tric. un 2e devant et 2 dos semblables.

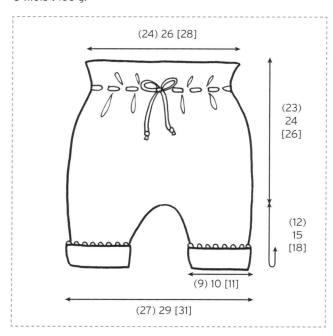

(24) 26 [28]

(23) 24 [26]

(12) 15 [18]

(9) 10 [11]

(27) 29 [31]

• **Cordelière**

Monter 5 m. sur les aig. et tric. (90) 95 [100] cm puis rab. les m.

Finitions

Assembler un dos et un devant pour chaque pantalon, puis retourner le 2ᵉ sur l'endroit.

Enfiler le 1ᵉʳ dans le 2ᵉ et les assembler à la taille par une fine couture, et dans le bas des jambes, par 1 rg de ms et 1 rg de picot. Fermer la cordelière sur toute la longueur, puis la passer dans les 2 épaisseurs du pantalon, à 4 cm du haut et l nouer sur le devant.

Les chaussons ★★

Tailles
3 mois (6 mois)

Fournitures
Laines Anny Blatt :
Qualité Fine Kid (51 % laine et 49 % Kid Mohair – 50 g = 255 m), coloris Bois de rose/054.
3 mois et 6 mois : 30 g.
4 boutons.
Aig. n° 4.
Un crochet n° 2 1/2.

Points employés
Voir le gilet.

Échantillon
Voir le gilet.

Réalisation
Chaque chausson est tric. une 2ᵉ fois pour le doubler.
Commencer par le haut. Monter 30 (34) m. sur les aig. et tric. en jersey env.
À 4 (4,5) cm de haut. tot., laisser les 11 (12) m. de ch. côté en attente et cont. sur les 8 (10) m. rest. au mileu pour le dessus du pied. Tric. 4 (4,5) cm puis laisser les m. en attente.
Reprendre les 11 (12) m. de droite, puis relever à la suite10 (11) m. sur le côté du dessus du pied, reprendre les 8 (10) m., relever 10 (11) m. sur le 2ᵉ côté et reprendre les 11 (12) m. de gauche. Tric. 3 cm sur les 50 (56) m. obtenues, puis former 1 dim. de ch. côté, et de ch. côté des 4 m. du milieu, 4 fs ts les 2 rgs. Rab. les 34 (40) m. rest. en une fois.
Tric. 3 autres chaussons semblables.

Finitions
Fermer le dos et la semelle des chaussons et retourner les 2 derniers sur l'endroit.
Enfiler les 1ᵉʳ dans les 2ᵉ et les assembler en haut par 1 rg de ms et 1 rg de picot. Maintenir les semelles ensemble au niveau de la couture.
Faire 2 cordelières avec pour chacune, 4 fils de 120 cm, puis les passer au niveau de la cheville des chaussons et les nouer sur le devant.

Le burnous ★

Taille
6 mois (12/18 mois]

Fournitures
Laines Anny Blatt :
Qualité Fine Kid (51 % laine et 49 % Kid Mohair – 50 g = 255 m)
Coloris Cordouan/126.
6 mois : 250 g.
12/18 mois : 350 g.
Aig. n° 3 et 4.

Point employé
Jersey envers : 1 rg env., 1 rg endr.

Échantillon
Carré de 10 cm en jersey env. avec les aig. n° 4 = 20 m. et 30 rgs.

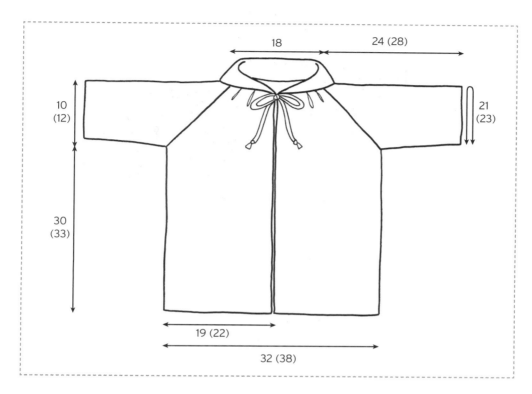

Réalisation

Toutes les pièces sauf la cordelière sont tric. 2 fois pour doubler le manteau.

• Corps

Il est tric. en une seule pièce dans le sens de la largeur et se commence par le devant droit.

Monter 90 (100) m. sur les aig. n° 4 avec le fil en double et tric. 3 cm en jersey env., puis cont. avec le fil en simple.

À 19 (22) cm de haut. tot., pour l'emmanchure, rab. à droite, 10 (12) fs 1 m. ts les 2 rgs, puis augm. 10 (12) fs 1 m. ts les 2 rgs. Cont droit.

À 44 (52) cm de haut. tot., former la 2e emmanchure comme la 1re et cont. droit.

À 67 (79) cm de haut. tot., cont. avec le fil en double.

À 70 (82) cm de haut. tot., rab. les m. souplement.

Tric. un 2e morceau semblable.

• Manches

Monter 42 (46) m. sur les aig. n° 4 avec le fil en double et tric. 3 cm en jersey env., puis cont. avec le fil en simple.

À 14 (16) cm de haut. tot., pour former les raglans, rab. de ch. côté, 14 (16) fois 1 m. ts les 2 rgs.

À 24 (28) cm de haut. tot., rab. les 14 m. rest. souplement.

Tric. 3 autres manches semblables.

Finitions

Assembler un dos et un devant pour chaque pantalon, puis retourner le 2e sur l'endroit.

Enfiler le 1e dans le 2e et les assembler à la taille par une fine couture, et dans le bas des jambes, par 1 rg de ms et 1 rg de picot.

Fermer la cordelière sur toute la longeur, puis la passer dans les 2 épaisseurs du pantalon, à 4 cm du haut et le nouer sur le devant.

chic et chaud

chic et chaud

Petites fleurs ou cœurs jacquard, côté fille ou côté garçon : deux jolis ensembles chics aux détails raffinés.

La salopette ★★

Tailles
(3 mois) 6 mois [12 mois]

Fournitures
Laines Bouton d'Or :
• Qualité Baby Superwash (100 % laine − 50 g = 200 m), coloris Taupe/570 et Glacier/231.
3 mois : 150 g Taupe et quelques g Glacier.
6 mois : 150 g Taupe et quelques g Glacier.
12 mois : 200 g Taupe et quelques g Glacier.
2 boutons.
Aig. à 2 pointes n° 3.
Aig. n° 3.

Points employés
Jersey endroit : 1 rg endr., 1 rg env.
Surjet simple (s.s.) : glisser 1 m. sans la tric., tric. la m. suiv. à l'endr. et rab. la m. glissée sur la m. tric.
Augmentation : tric. 1 m. torse en piquant l'aig. sous le fil qui relie 2 m.
Broderie : elle se fait au point de m. en rebrodant chaque m. de 2 points en V pour la reformer.

Échantillon
Carré de 10 cm en jersey endr. avec les aig. n° 3 = 30 m. et 40 rgs.

Réalisation

• Devant
Commencer par la jambe droite.
Monter (30) 33 [36] m. Taupe sur les aig. et tric. en jersey endr., 3 rgs Taupe, 2 rgs Glacier, 3 rgs Taupe, puis pour former l'ourlet, tric. 1 rg en prenant en même temps 1 m. de l'aig. gauche et la m. correspondante sur le rg de montage. Cont. ensuite en Taupe, en augm. à 1 m. des bords, à droite 10 fs 1 m. (ts les 6 rgs) altern. ts les 6 et 8 rgs [ts les 8 rgs], et à gauche, pour les 3 tailles, 10 fs 1m. ts les 2 rgs.
À (18) 21 [24] cm de haut. tot., laisser les (50) 53 [56] m. obtenues en attente.
Tric. la jambe gauche en vis-à-vis, puis reprendre à la suite les m. de la jambe droite. Cont. sur les (100) 106 [112] m. obtenues.

À (28) 32 [38] cm de haut. tot., former de ch. côté, à 1 m. des bords, 10 fs 1 dim. ts les 2 rgs. À droite, tric. 2 m. ens. à l'endr., et à gauche, faire 1 s.s.
À (33) 37 [43] cm de haut. tot., pour les emmanchures, rab. de ch. côté, 2 fs 3 m. ts les 2 rgs, puis former à 1 m. des bords, (7) 5 [3] fs 1 m. ts les 2 rgs, (2) 4 [6] fs 1 m. ts les 4 rgs, et pour les 3 tailles, 5 fs 1 m. ts les 2 rgs. À droite, tric. 2 m. ens., et à gauche, faire 1 s.s.
À (42) 47 [54] cm de haut. tot., laisser les (40) 46 [52] m. rest. en attente.

• Dos
Commencer comme le devant. À (33) 37 [43] cm de haut. tot., former les emmanchures comme au devant.
En même temps, à (39) 44 [49] cm de haut. tot., pour le décolleté, rab. les 2 m. du milieu puis term. ch. côté séparément. Cont. les dim. des emmanchures, et former côté encolure, à 1 m. des bords, (9) 10 [13] fs 1 dim. ts les 2 rgs, puis cont. droit sur les (10) 12 [12] m. rest. pour les bretelles. Tric. (14) 16 [18] cm après la dern. dim. de l'emmanchure, puis former une boutonnière de 2 m. au milieu, tric. encore 1 cm et laisser les m. en attente.

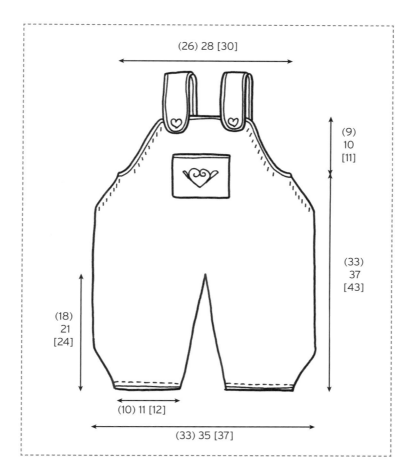

(26) 28 [30]

(9) 10 [11]

(33) 37 [43]

(18) 21 [24]

(10) 11 [12]

(33) 35 [37]

• **Poche**

Monter 27 m. Taupe sur les aig., et tric. en jersey endr., 6 cm, puis 2 rgs Glacier, 2 rgs Taupe et rab. les m.

Finitions

Toutes les bordures sont tric. de la même façon.

Relever avec le fil Taupe et les aig., (31) 34 [37] m. sur le côté de l'emmanchure gauche du devant, puis reprendre les (40) 46 [52] m. en attente en répart. 8 dim. et relever (31) 34 [37] m. sur le 2e côté. Tric. 1 rg Taupe, 2 rgs Glacier, 2 rgs Taupe puis rab. les m. Relever avec les aig. à 2 pointes, (77) 87 [97] m. sur l'emmanchure et la bretelle gauche du dos, puis reprendre les m. de la bretelle, et relever (50) 57 [64] m. jusqu'au creux du décolleté. Tric. la bordure. Trav. en vis-à-vis sur le 2e côté du dos.

Fermer les côtés et les jambes. Replier toutes les bordures sur l'envers, sur les 2 rgs Glacier et coudre à points glissés.

Broder le motif avec le col. Glacier au milieu de la poche, puis replier le bord de la même façon et la coudre au milieu du devant, à 5,5 cm du haut.

Coudre les boutons sur le devant en vis-à-vis des bretelles.

Le pull

Tailles

(3 mois) 6 mois [12 mois]

Fournitures

Laines Bouton d'Or :

• Qualité Baby Superwash (100 % laine − 50 g = 200 m), coloris Glacier/231, Taupe/570 et Naturel/380.

3 mois : 50 g Glacier, 50 g Taupe et quelques g Naturel.

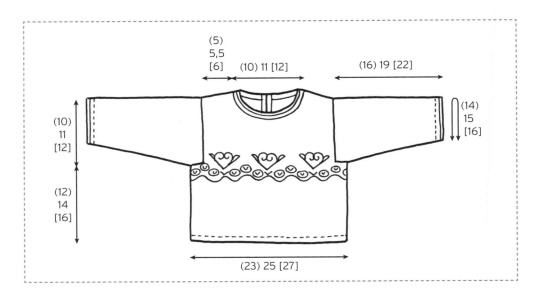

6 mois : 50 g Glacier, 100 g Taupe et quelques g Naturel.
12 mois : 100 g Glacier, 100 g Taupe et quelques g Naturel.
Une pression.
Aig. à 2 pointes n° 3.
Aig. n° 3.

Points employés

Jersey endroit : 1 rg endr., 1 rg env.
Jersey endroit jacquard : suivre la grille en croisant les fils
à chaque changt de coloris.

Échantillon

Carré de 10 cm en jersey endr. avec les aig. n° 3 = 30 m. et 40 rgs.

Réalisation

• Devant

Monter (69) 75 [81] m. Glacier sur les aig., et tric. en jersey endr.
Tric. 8 rgs, puis pour former l'ourlet, tric. 1 rg en prenant en
même temps 1 m. de l'aig. gauche et la m. correspondante sur
le rg de montage. Cont. droit.
À (9) 11 [13] cm de haut. tot., tric. les 20 rgs du jacquard, en
comm. en (A) B [C] de la grille, puis cont. en jersey endr. Taupe.
En même temps, à (12) 14 [16] cm de haut. tot., pour les
emmanchures, rab. de ch. côté, 1 fs 5 m.
À (18) 21 [24] cm de haut. tot., pour l'encolure, rab. les (9)
13 [15] m. du milieu et term. ch. côté séparément en rab. côté
encolure, ts les 2 rgs, 2 fs 3 m., 1 fs 2 m. et 2 fs 1 m.
À (22) 25 [28] cm de haut. tot., pour l'épaule, rab. ts les 2 rgs,
(3 fs 5 m.) 2 fs 5 m. et 1 fs 6 m. [3 fs 6 m.].

• Dos

Monter (69) 75 [81] m. Glacier sur les aig., et tric. en jersey endr.
en formant l'ourlet comme au devant.
À (12) 14 [16] cm de haut. tot., pour les emmanchures, rab.
de ch. côté, 1 fs 5 m.
À (16) 19 [22] cm de haut. tot., pour la fente, rab. la m.
du milieu et term. ch. côté séparément.
À (21,5) 24,5 [27,5] cm de haut. tot., pour l'encolure, rab.
ts les 2 rgs, 1 fs 9 m. et 1 fs (5) 7 [8] m.
À (22) 25 [28] cm de haut. tot., pour l'épaule, rab. ts les 2 rgs,
(3 fs 5 m.) 2 fs 5 m. et 1 fs 6 m. [3 fs 6 m.].

• Manches

Monter (42) 46 [48] m. Taupe sur les aig., et tric. en jersey endr.
3 rgs Taupe, 2 rgs Glacier, 3 rgs Taupe, puis former
l'ourlet comme au dos et cont. en Taupe en augm. de ch. côté
(9 fs 1 m. ts les 6 rgs) 7 fs 1 m. ts les 6 rgs et 3 fs 1 m. ts les
8 rgs [9 fs 1 m. ts les 6 rgs et 3 fs 1 m. ts les 8 rgs].
À (16) 19 [22] cm de haut. tot., rab. les (60) 66 [72] m. obtenues.

Finitions

Fermer les épaules.
Relever avec le fil Glacier et les aig., 17 m. sur chaque côté
de la fente, et tric. 6 rgs en jersey endr. puis rab. les m. Replier
cette bordure en deux sur l'envers et la coudre à petits points
glissés. Coudre la base.
Relever autour de l'encolure, avec les aig. à 2 pointes et le col.
Taupe, (14) 16 [17] m. sur l'encolure du dos, puis (41) 44 [47]
m. sur le devant et (14) 16 [17] m. sur le dos. Tric. en jersey, 2 rgs
Taupe, 2 rgs Glacier et 3 rgs Taupe, puis rab. les m.

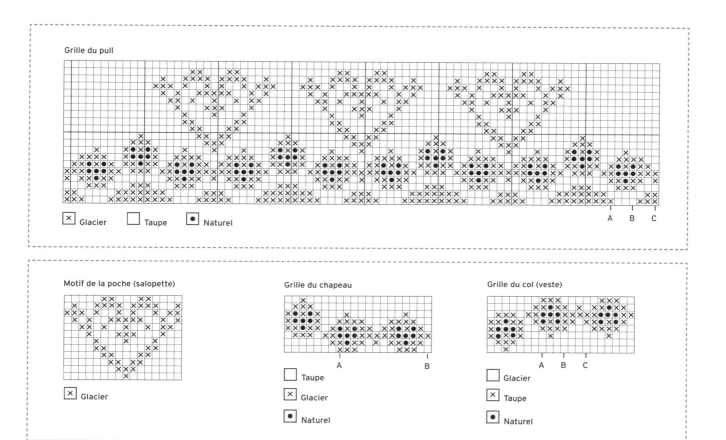

Grille du pull

☒ Glacier   ☐ Taupe   ● Naturel

Motif de la poche (salopette)

☒ Glacier

Grille du chapeau

☐ Taupe
☒ Glacier
● Naturel

Grille du col (veste)

☐ Glacier
☒ Taupe
● Naturel

Monter les manches et les fermer ainsi que les côtés du pull. Replier la bordure d'encolure sur l'envers, sur les 2 rgs Glacier et coudre à points glissés.

La veste ★★★

Tailles
(3 mois) 6 mois [12 mois]

Fournitures
Laines Bouton d'Or :
• Qualité Baby Superwash (100 % laine – 50 g = 200 m), coloris Glacier/231, Taupe/570, Rosée/513 et Naturel/380.
3 mois : 100 g Glacier et quelques g des 3 autres coloris.
6 mois : 150 g Glacier et quelques g des 3 autres coloris.
12 mois : 150 g Glacier et quelques g des 3 autres coloris.
(4) 4 [5] boutons.
Aig. n° 3.

Points employés
Jersey endroit : 1 rg endr., 1 rg env.
Jersey endroit jacquard : suivre la grille en croisant les fils à chaque changt de coloris.

Échantillon
Carré de 10 cm en jersey endr. avec les aig. n° 3 = 30 m. et 40 rgs.

Réalisation

• Dos
Monter (69) 75 [81] m. Glacier sur les aig., et tric. en jersey endr. Tric. 8 rgs, puis pour former l'ourlet, tric. 1 rg en prenant en même temps 1 m. de l'aig. gauche et la m. correspondante sur le rg de montage. Cont. droit.
À (13) 15 [17] cm de haut. tot., pour les emmanchures, rab. de ch. côté, 1 fs 5 m.
À (23) 26 [29] cm de haut. tot., pour les épaules, rab. de ch. côté, ts les 2 rgs, (3 fs 5 m.) 2 fs 5 m. et 1 fs 6 m. [3 fs 6 m.], puis rab. les (29) 33 [35] m. rest. pour l'encolure.

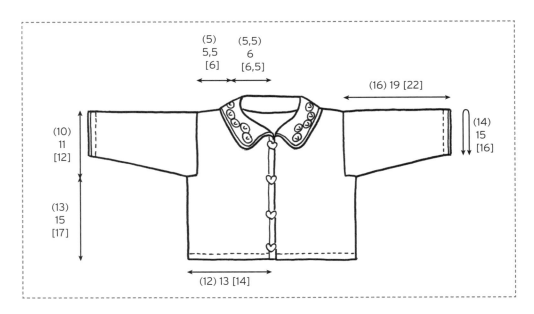

• **Devant gauche**

Monter (36) 39 [42] m. Glacier sur les aig., et tric. en jersey endr. en formant l'ourlet comme au dos.

À (13) 15 [17] cm de haut. tot., pour l'emmanchure, rab. à droite, 1 fs 5 m.

À (19) 22 [25] cm de haut. tot., pour l'encolure, rab. à droite, ts les 2 rgs, 1 fs (5) 6 [6] m., 1 fs (4) 4 [5] m., 1 fs 3 m., 1 fs (2) 3 [3] m. et 2 fs 1 m.

À (23) 26 [29] cm de haut. tot., pour l'épaule, rab. à droite, ts les 2 rgs, (3 fs 5 m.) 2 fs 5 m. et 1 fs 6 m [3 fs 6 m.].

• **Manches**

Monter (42) 46 [48] m. Glacier sur les aig., et tric. en jersey endr., 3 rgs Glacier, 2 rgs Rosée, 3 rgs Glacier, puis former l'ourlet comme au dos et cont. en Glacier en augm. de ch. côté (9 fs 1 m. ts les 6 rgs) 7 fs 1 m. ts les 6 rgs et 3 fs 1 m. ts les 8 rgs [9 fs 1 m. ts les 6 rgs et 3 fs 1 m. ts les 8 rgs].

À (16) 19 [22] cm de haut. tot., rab. les (60) 66 [72] m. obtenues.

Finitions

Coudre les épaules et les côtés de la veste. Relever pour le col, (71) 77 [83] m. Glacier autour de l'encolure et tric. 8 rgs en jersey endr. en comm. par 1 rg endr., puis 8 rgs en jersey endr. jacquard en comm. en (A) B [C] de la grille, 2 rgs Glacier et laisser les m. en attente. Relever avec le col. Glacier et les aig., 11 m. sur le côté du col, puis 2 m. sur le coin, reprendre les (71) 77 [83] m. en attente, relever 2 m. sur le coin et 11 m. sur le 2e côté. Tric. en jersey endr. 1 rg Glacier (tric. ce rg à l'env.), 2 rgs Rosée, 2 rgs Glacier et rab. les m.

Relever (57) 66 [74] m Glacier au bord du devant gauche et tric. en jersey endr., 2 rgs Glacier, 2 rgs Rosée, 3 rgs Glacier et rab. les m.

Tric. la même bordure sur le devant droit mais en formant au 2e et au 5e rg, (4) 4 [5] boutonnières de 2 m., la 1re à 2 m. du bord et les suiv. espacées de (15) 18 [15] m.

Monter les manches et les fermer.

Replier toutes les bordures sur les rgs Rosée et coudre à petits points glissés.

Coudre les boutons sur le devant gauche.

Le chapeau ★★★

Tailles

(3 mois) 6 mois [12 mois]

Fournitures

Laines Bouton d'Or :

• Qualité Baby Superwash (100 % laine − 50 g = 200 m), coloris Taupe/570, Glacier/231 et Naturel/380.

Pour les 3 tailles : 50 g Taupe, et quelques g Glacier et Naturel.

Aig. n° 3.

Points employés

Jersey endroit : 1 rg endr., 1 rg env.

Jersey endroit jacquard : suivre la grille en croisant les fils à chaque changt de coloris.

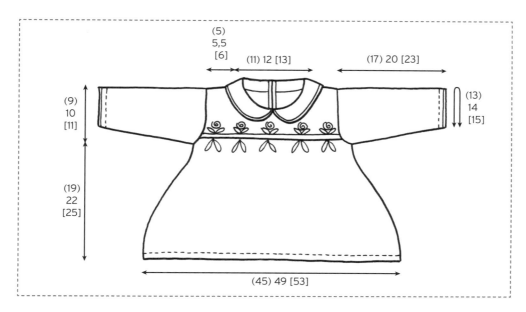

Échantillon

Carré de 10 cm en jersey endr. avec les aig. n° 3 = 30 m. et 40 rgs.

Réalisation

Monter (110) 122 [134] m. Taupe sur les aig. et tric. en jersey endr.,
3 rgs Taupe, 2 rgs Glacier, 3 rgs Taupe, puis pour former l'ourlet,
tric. 1 rg en prenant en même temps 1 m. de l'aig. -gauche et la
m. correspondante sur le rg de montage. Tric. -3 rgs Taupe, les
8 rgs du jacquard en comm. en (A) B [B] de la grille, 3 rgs Taupe,
1 rg Glacier, 8 rgs Taupe, puis former le bourrelet, comme l'ourlet
en piquant l'aig. dans le 2e rg Taupe. Tric. 1 rg, puis au rg suiv.,
comm. les 12 dim. ainsi : 1 m. lis.,-*(7) 8 [9] m., 2 m. ens.*, répéter
de * à * 12 fs au total, 1 m. lis. Répéter ces dim. encore 2 fs ts les
4 rgs et (4) 5 [6] fs ts les -2 rgs, puis tric. 1 rg sur les 26 m. rest.
ainsi : 1 m. lis., 12 fs 2 m. ens., 1 m. lis., puis 1 rg en tric. 1 m. lis.,
6 fs 2 m. ens. et 1 m. lis. Tric. 4 rgs sur les 8 m. rest., puis couper
le fil, et le passer -ds les m. pour serrer.
Fermer le bonnet.

La robe ★★★

Tailles

(3 mois) 6 mois [12 mois]

Fournitures

Laines Bouton d'Or :
• Qualité Baby Superwash (100 % laine – 50 g = 200 m),
coloris Glacier/231, Taupe/570, et Rosée/513.

3 mois : 150 g Glacier et quelques g des 2 autres coloris.
6 mois : 200 g Taupe et quelques g des 2 autres coloris.
12 mois : 200 g Taupe et quelques g des 2 autres coloris.
2 pressions.
Aig. n° 3.

Points employés

Jersey endroit : 1 rg endr., 1 rg env.
Broderie au point de poste : sortir l'aig. sur l'endr. du trav., puis
la repiquer quelques mm au-dessus, et la ressortir, sans la tirer,
juste à côté du point de sortie précédent. Enrouler le fil 6 ou
7 fois autour de l'aiguille, puis sortir celle-ci tout en maintenant
les boucles bien serrées. Repiquer l'aiguille dans le même point
que précédemment et le fixer sur l'envers.

Échantillon

Carré de 10 cm en jersey endr. avec les aig. n° 3 = 30 m. et 40 rgs.

Réalisation

• Devant

Monter (134) 146 [158] m. Glacier sur les aig. et tric. en jersey
endr. Tric. 8 rgs, puis pour former l'ourlet, tric. 1 rg en prenant
en même temps 1 m. de l'aig. gauche et la m. correspondante sur
le rg de montage. Cont. droit.
À (19) 22 [25] cm de haut. tot., pour les emmanchures, rab.
de ch. côté, ts les 2 rgs, 1 fs 3 m., 1 fs 2 m. et 1 fs 1 m.
À (20) 23 [26] cm de haut. tot., répart. (60) 66 [72] dim. sur 1 rg
ainsi : tric. 1 m., puis *glisser 3 m. sur une aig. à 2 pointes que

l'on place derrière le trav., et tric. ens. à l'endr., 1 m. de l'aig. gauche et 1 m. en attente, glisser 3 m. sur une aig. à 2 pointes que l'on place devant le trav., et tric. ens. à l'endr., 1 m. en attente et 1 m. de l'aig. gauche*, répéter de * à * (10) 11 [12] fois au total, et 1 m. endr. Tric. 9 rgs, puis pour le bourrelet, tric. 1 rg en piquant l'aig. dans 1 m. de l'aig. gauche et en même temps dans la m. correspondante 9 rgs plus bas. Cont. droit en jersey endr. À (24) 28 [32] cm de haut. tot., pour l'encolure, rab. les (10) 14 [16] m. du milieu et term. ch. côté séparément en rab. côté encolure, ts les 2 rgs, 2 fs 3 m., 1 fs 2 m. et 3 fs 1 m. À (28) 32 [36] cm de haut. tot., pour l'épaule, rab. ts les 2 rgs, (3 fs 5 m.) 2 fs 5 m. et 1 fs 6 m. [3 fs 6 m.].

• Dos

Commencer comme le devant.
À (22) 26 [30] cm de haut. tot., pour la fente, rab. les 2 m. du milieu et term. ch. côté séparément.
À (28) 32 [36] cm de haut. tot., former en même temps l'épaule et l'encolure. Pour l'encolure, rab. ts les 2 rgs, 1 fs (11) 12 [12] m. et 1 fs (4) 5 [6] m., et pour l'épaule, rab. ts les 2 rgs (3 fs 5 m.) 2 fs 5 m. et 1 fs 6 m. [3 fs 6 m.].

• Manches

Monter (38) 42 [46] m. Glacier sur les aig., et tric. en jersey endr., 3 rgs Glacier, 2 rgs Taupe, 3 rgs Glacier, puis former l'ourlet comme au devant et cont. en Glacier, en augm. de ch. côté (10 fs 1 m. altern. ts les 4 et 6 rgs) 11 fs 1 m. ts les. ts les 6 rgs [12 fs 1 m. ts les 6 rgs].
À (15) 18 [21] cm de haut. tot., rab. de chaque côté, ts les 2 rgs, 1 fs 3 m., 1 fs 2 m., 2 fs 1 m., puis les (44) 50 [56] m. restantes.

Finitions

Fermer les épaules et les côtés de la robe. Relever avec le fil Glacier et les aig., 17 m. sur chaque côté de la fente, et tric. en jersey, 1 rg Glacier, 2 rgs Taupe, 2 rgs Glacier puis rab. les m.
Relever pour le demi-col, avec les aig. et le col. Glacier, (16) 18 [20] m. sur l'encolure du dos, puis (21) 23 [25] m. sur la moitié de l'encolure du devant. Tric. 2,5 cm en jersey en comm. par 1 rg endr., puis dim. de ch. côté, 2 fs 1 m. ts les 2 rgs et laisser les m. rest. en attente. Relever avec les aig. et le col Glacier, 10 m. sur un côté du col, puis reprendre les m. en attente et relever 10 m. sur le 2e côté. Tric. en jersey, 1 rg Glacier, 2 rgs Taupe, 2 rgs Glacier, et rab. les m.
Tric. le 2e demi-col sembl.
Monter les manches et les fermer.
Replier la bordure des cols sur l'envers, sur les 2 rgs Glacier et coudre à petits points glissés. Coudre la base de celles de la fente, et les assembler aux cols.
Coudre les pressions sur la fente du dos.
Broder 5 fleurs au-dessus du bourrelet, de 2 points de poste Rosée pour les feuilles et 4 points Taupe pour les pétales.

couleur dragées

couleur dragées

De simples rayures pastel au point mousse prennent tout leur relief sur un fond jersey.

La combinaison ★★

Tailles

3 mois (6 mois)

Fournitures

Laine Phildar :
• Qualité Laine et cachemire (85 % laine peignée et 15 % cachemire - 25 g = 60 m), coloris Écru/032, Coquille/103, Rosée/109, et Pistache/108.
3 mois : 150 g Écru, et 25 g des 3 autres coloris.
6 mois : 150 g. Écru et 50 g des 3 autres coloris.
Aig. n° 3 1/2 et 4.

Points employés

Jersey endroit : 1 rg endr., 1 rg env.
Jersey endr. fantaisie : *4 rgs en point mousse Rosée, 6 rgs en jersey Écru, 4 rgs en point mousse Pistache, 6 rgs en jersey Écru, 4 rgs en point mousse Coquille et 6 rgs en jersey Écru*. Répéter de *à *.
Point mousse : tric. tous les rgs à l'endr.
Surjet simple (s.s.) : glisser 1 m. sans la tric., tric. la m. suiv. à l'endr. et rab. la m. glissée sur la m. tric.
Surjet double (s.dble) : glisser 1 m. sans la tric., tric. 2 m. ens. à l'endr. et rab. la m. glissée sur la m. obtenue.
Augmentation : tric. 1 m. torse en piquant l'aig. sous le fil qui relie 2 m.

Échantillon

Carré de 10 cm en jersey fantaisie avec les aig. n° 4 = 23 m. et 35 rgs.

Réalisation

La combinaison se tric. en un seul morceau et se commence par la jambe gauche.
Monter 60 (64) m. Écru sur les aig. n° 3 1/2, et tric. 10 rgs en point mousse, puis cont. en jersey fant. avec les aig. n° 4 en comm. par 2 rgs en jersey endr., et en augm. de ch. côté, 3 fs 1 m. ts les 14 (18) rgs.
À 18,5 (20,5) cm de haut. tot., laisser les 66 (70) m. obtenues en attente.
Tric. la jambe droite sembl., puis monter à la suite 6 m. pour l'entrejambe et reprendre les m. de la jambe gauche. Cont. en jersey endr. fantaisie sur les 138 (146) m. obtenues. Tric. 10 rgs, puis comm. les dim. ainsi : tric. 32 (34) m., 1 s.dble, 68(72) m., 1 s. dble et 32 (34) m. Répéter ces dim. encore 9 fs ts

les 4 rgs en les plaçant toujours les unes au-dessus des autres.
À 38,5 (41,5) cm de haut. tot., pour former les emmanchures, tric. 21 (23) m. pour le devant droit, rab. 2 m., tric. 52 (58) m. pour le dos, rab. 2 m., et cont. sur les 21 (23) m. rest. pour le devant gauche.
À 45,5 (49,5) cm de haut. tot., pour l'encolure, rab. à gauche, ts les 2 rgs, 1 fs 3 (4) m., 1 fs 2 m. et 1 fs 1 m.
À 48,5 (52,5) cm de haut. tot., pour l'épaule, rab. les 15 (16) m. rest.
Reprendre les 21 (23) m. de droite et term. le devant droit en vis-à-vis.
Reprendre les 52 (58) m. rest. pour le dos et cont. droit.
À 47,5 (51,5) cm de haut. tot., pour l'encolure, rab. les 12 (16) m. du milieu et term. ch. côté séparément en rab. 1 fs 5 m. 2 rgs au-dessus.
À 48,5 (52,5) cm de haut. tot., pour l'épaule, rab. les 15 (16) m. rest.

• Manches

Monter 39 (42) m. Écru sur les aig. n° 3 1/2, et tric. 10 rgs en point mousse, puis cont. en jersey endr. fant avec les aig. n° 4, en augm. de ch. côté, à 1 m. des bords, 2 fs 1 m. ts les 10 rgs et 2 fs 1 m. ts les 12 rgs (3 fs 1 m. ts les 10 rgs et 2 fs 1 m. ts les 12 rgs).
À 18 (20) cm de haut. tot., rab. les 48 (52) m. obtenues.

Finitions

Relever avec les aig. n° 3 1/2 et le col. Écru, 58 (63) m. au bord du devant gauche et tric. 10 rgs en point mousse, puis rab. les m.
Tric. la même bordure sur le devant droit mais en formant 4 boutonnières de 2 m. au milieu, la 1re à 11 (12) m. du bord, et les suiv. espacées de 10 (11) m.
Fermer les épaules.
Relever avec les aig. n° 3 1/2 et le col. Écru, 52 (57) m. au bord de l'encolure et tric. 8 rgs en point mousse en formant à mi-hauteur, une boutonnière à 2 m. du bord droit.
Fermer les jambes et l'entrejambe en superposant les bandes de boutonnage.
Monter les manches et les fermer. Coudre les boutons.

La veste rayée ★

Tailles

(3 mois) 6 mois [12 mois]

Fournitures

Laine Phildar :
• Qualité Laine et cachemire (85 % laine peignée et 15 % cachemire - 25 g = 60 m), coloris Écru/032, Coquille/103,

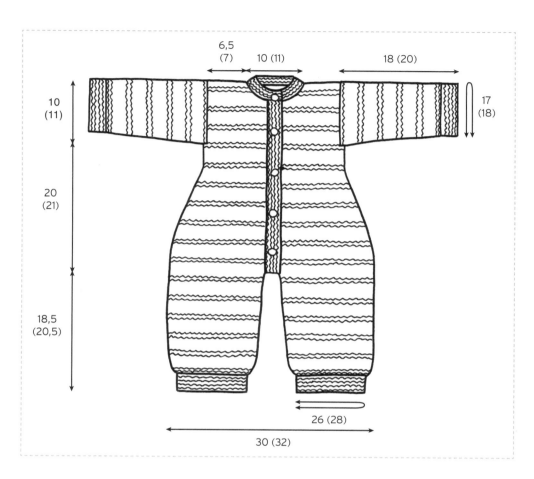

Rosée/109, et Pistache/108.

3 mois : 100 g Écru et 25 g des 3 autres coloris.
6 mois : 150 g Écru et 25 g des 3 autres coloris.
12 mois : 150 g Écru et 25 g des 3 autres coloris.
Aig. n° 3 1/2 et 4.

Points employés

Jersey endroit : 1 rg endr., 1 rg env.
Jersey endr. fantaisie : *2 rgs en point mousse Rosée, 4 rgs en jersey Écru, 2 rgs en point mousse Pistache, 4 rgs en jersey Écru, 2 rgs en point mousse Coquille et 4 rgs en jersey Écru*, répéter de * à *.
Point mousse : tric. tous les rgs à l'endr.

Échantillon

Carré de 10 cm en jersey fantaisie avec les aig. n° 4 = 23 m. et 36 rgs.

Réalisation

Le corps est tric. en un seul morceau et se commence par le devant droit.
Monter (28) 30 [32] m. Écru sur les aig. n° 3 1/2, et tric. 8 rgs en point mousse, puis cont. en jersey endr. fantaisie avec les aig. n° 4.
À (18) 21 [24] cm de haut. tot., pour l'encolure, rab. à droite, ts les 2 rgs,1 fs (5) 5 [6] m., 1 fs 4 m., (2) 3 [3] fs 1 m.
À (22,5) 26 [29,5] cm de haut. tot., soit à la (13e) 15e [17e] rayure en pont mousse, laisser les (17) 18 [19] m. rest. en attente.
Monter (28) 30 [32] m. Écru sur les aig., et tric. le devant gauche en vis-à-vis, puis tric. les m., monter à la suite, (26) 28 [30] m. Écru pour l'encolure du dos et tric. les (17) 21 [23] m. du devant droit. Cont. en jersey endr. rayé, mais en alternant pour les rayures en point mousse (2 rgs Coquille, 2 rgs Pistache et 2 rgs Rosée) 2 rgs Pistache, 2 rgs Rosée et 2 rgs Coquille

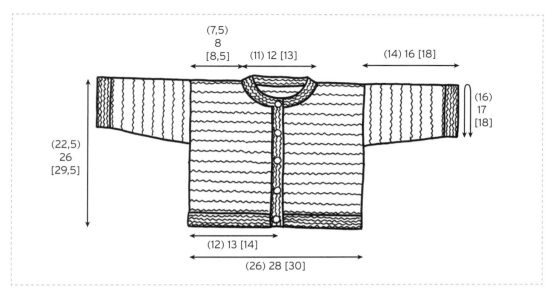

(7,5)
8
[8,5]

(11) 12 [13]

(14) 16 [18]

(16)
17
[18]

(22,5)
26
[29,5]

(12) 13 [14]

(26) 28 [30]

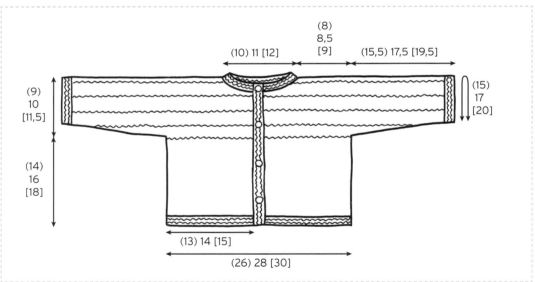

(8)
8,5
[9]

(10) 11 [12]

(15,5) 17,5 [19,5]

(9)
10
[11,5]

(15)
17
[20]

(14)
16
[18]

(13) 14 [15]

(26) 28 [30]

[2 rgs Rosée, 2 rgs Coquille, et 2 rgs Pistache]. Tric (12) 14 [16] rayures en point mousse, puis 8 rgs en point mousse et rab. les m.

• Manches

Monter (37) 39 [41] m. Écru sur les aig. n° 3 1/2, et tric. 8 rgs en point mousse, puis cont. en jersey endr. rayé avec les aig. n° 4, en augm. de ch. côté (3 fs 1 m. ts les 12 rgs) 5 fs 1 m. altern. ts les 8 et 10 rgs [6 fs 1 m. altern. ts les 8 rgs et 10 rgs]. À (14) 16 [18] cm de haut. tot., rab. les (43) 49 [53] m. obtenues.

Finitions

Relever avec les aig. n° 3 1/2 et le col. Écru, (49) 57 [65] m. au bord du devant gauche et tric. 8 rgs en point mousse, puis rab. les m. Tric. la même bordure sur le devant droit, mais en formant au 4e rg, 4 boutonnières d'1 m., la 1re à 2 m. du bord droit, et les suiv. espacées de (11) 13 [15] m.
Relever (70) 76 [82] m. au bord de l'encolure, et tric. la même bordure en formant au 2e rg, 1 boutonnière d'1 m. à 2 m. du bord.
Monter les manches sur une hauteur de (9) 10 [11] cm et les fermer ainsi que les côtés de la veste.
Coudre les boutons.

La veste écrue ★

Tailles

(3 mois) 6 mois [12 mois]

Fournitures

Laine Phildar :
• Qualité Laine et cachemire (85 % laine peignée et 15 % cachemire - 25 g = 60 m), coloris Écru/032, Coquille/103, Rosée/109, et Pistache/108
3 mois : 100 g Écru et 25 g des 3 autres coloris.
6 mois : 125 g Écru et 25 g des 3 autres coloris.
12 mois : 150 g Écru et 25 g des 3 autres coloris
5 boutons.
Aig. n° 3 1/2 et 4.

Points employés

Jersey endroit : 1 rg endr., 1 rg env.
Jersey endr. fantaisie : *2 rgs en point mousse Rosée, 6 rgs en jersey Écru, 2 rgs en point mousse Pistache, 6 rgs en jersey Écru, 2 rgs en point mousse Coquille et 6 rgs en jersey Écru*. Répéter de * à *.
Point mousse : tric. tous les rgs à l'endr.

Échantillons

Carré de 10 cm en jersey avec les aig. n° 4 = 23 m. et 31 rgs.
Carré de 10 cm en jersey fantaisie avec les aig. n° 4 = 23 m. et 34 rgs.

Réalisation

La veste est tricotée en un seul morceau et est commencée par le devant droit.
Monter (30) 32 [35] m. Écru sur les aig. n° 3 1/2, et tric 6 rgs en point mousse, puis cont. en jersey endr. avec les aig. n° 4.
À (13,5) 15,5 [17,5] cm de haut. tot., cont. en jersey endr. fant.
À (14) 16 [18] cm de haut. tot., pour la manche, augm. à gauche, ts les 2 rgs, (2 fs 11 m. et 1 fs 10 m.) 2 fs 12 m. et 1 fs 13 m [2 fs 14 m. et 1 fs 13 m.]. Cont. droit sur les (62) 69 [76] m. obtenues.
À (21) 24 [27] cm de haut. tot., pour l'encolure, rab. à droite, ts les 2 rgs, 1 fs (3) 4 [4] m. et 1 fs (9) 9 [10] m.
À (23) 26 [29,5] cm de haut. tot., soit (5e rayure en point mousse) 5e rayure en point mousse + 3 rgs en jersey [6e rayure en point mousse], on est au milieu du trav., laisser les (18) 19 [21] m. rest. en attente.
Monter (30) 32 [35] m. Écru sur les aig. n° 3 1/2, et tric. le devant gauche en vis-à-vis, puis tric. les m., monter à la suite (24) 26 [28] m. pour l'encolure du dos et tric. les m. du devant droit.
Cont. droit sur les (124) 138 [152] m. obtenues.
Tric. la 2e moitié de la manche en vis-à-vis, en tric. la même

hauteur pour le poignet, puis en rab. à gauche ts les 2 rgs (1 fs 10 m. et 2 fs 11 m.) 1 fs 13 m. et 2 fs 12 m. [1 fs 13 m. et 2 fs 14 m.]. Après la (9e) 10e [11e] rayure en point mousse, cont. en jersey end. Écru. Tric. (12) 14 [16] cm de haut. tot., puis 6 rgs en point mousse avec les aig. n° 3 1/2 et rab. les m.

Finitions

Relever avec les aig. n° 3 1/2 et le col. Écru, (51) 58 [65] m. sur le devant droit et tric. 7 rgs en point mousse puis rab. les m. Tric. la même bordure sur le devant gauche mais en formant au 2e rg, 3 boutonnières d'1 m., la 1re à (13) 14 [15] m. du bord et les suiv. espacées de (11) 13 [15] m.
Relever (63) 69 [75] m. au bord de l'encolure et tric.5 rgs en point mousse en formant au 2e rg, une boutonnière d' 1 m. à 2 m. du bord.
Relever (40) 46 [52] m. au bord des manches, et tric. 5 rgs en point mousse.
Fermer les manches et les côtés.
Coudre les boutons sur le devant droit.

Les chaussons ★★

Tailles
3 mois (6 mois)

Fournitures
Laine Phildar :
• Qualité Laine et cachemire (85 % laine peignée et 15 % cachemire · 25 g = 60 m), coloris Écru/032, Coquille/103, Rosée/109, et Pistache/108
3 mois : 20 g Écru et quelques g des 3 autres coloris.
6 mois : 25 g Écru et quelques g des 3 autres coloris.
Aig. n° 4.

Points employés
Jersey endroit : 1 rg endr., 1 rg env.
Point mousse : tric. tous les rgs à l'endr.
Surjet simple (s.s.) : glisser 1 m. sans la tric., tric. la m. suiv. à l'endr. et rab. la m. glissée sur la m. tric.

Échantillon
Carré de 10 cm en jersey avec les aig. n° 4 = 23 m. et 31 rgs.

Réalisation
Monter 29 (33) m. Écru sur les aig. et tric. en point mousse, en augm. de ch. côté et de ch. côté de la m. du milieu, 4 fs 1 m. ts les 2 rgs, puis tric. 10 rgs sur les 45 (50) m. obtenues et comm. le dessus du pied. Laisser les 18 (20) m. de ch. côté en attente, et pour le dessus du pied, cont. en jersey endr. sur les 9 (10) m. du milieu. Tric. *8 (9) m., puis glisser la m. suiv., tric. la 1re des m. en attente, et rab. la m. glissée sur la m. tric., tourner*, répéter de * à * jusqu'à ce qu' il ne reste que 13 (14) m. en attente de ch. côté. Couper le fil. Reprendre les 13 (14) m. de droite, puis à la suite, les 9 (10) m. du dessus de pied et les 13 (14) m. de gauche. Tric. 8 rgs en jersey endr. sur les 35 (38) m., puis en point mousse, 2 rgs Rosée, 2 rgs Pistache et 2 rgs Coquille, et rab. les m.
Relever avec les aig., 1 m. sur ch. m. du 5e rg en point mousse en partant du haut du chausson, puis tric. 1 rg en rab. les m.
Fermer le dos et la semelle du chausson.

l'embouteillage

Des p'tites voitures sagement alignées, mais qui ne demandent qu'à démarrer !

La veste ★★

Tailles
(3 mois) 6 mois [12 mois]

Fournitures
Laines Bouton d'Or :
• Qualité Baby Superwash (100 % laine - 50 g = 200 m), coloris Naturel/380, Kiwi/296, Pétunia/440, Bleu/052 et Noir/383.
3 mois : 100 g Naturel et 50 g de chacun des 4 autres coloris.
6 mois : 150 g Naturel et 50 g de chacun des 4 autres coloris.
12 mois : 150 g Naturel et 50 g de chacun des 4 autres coloris.
(4) 4 [5] petits boutons.
Aig. n° 2 1/2 et 3.

Points employés
Jersey endroit : 1 rg endr., 1 rg env.
Surjet double (s. dble) : glisser 1 m. sans la tric., tric. les 2 m. suiv. ens. à l'endr. et rab. la m. glissée sur la m. obtenue.
Motifs : ils se brodent au point de m. en suiv. la grille, en brodant chaque m. de 2 point en V, et se terminent au point de croix sur 1 m. et 1 rg.

Échantillon
Carré de 10 cm en jersey endr. avec les aig. n° 3 = 30 m. et 40 rgs.

Réalisation

• Dos
Monter (76) 82 [88] m. Naturel sur les aig. n° 2 1/2, et tric. 1 cm en jersey endr., puis cont. avec les aig. n° 3.
À (14) 16 [18] cm de haut. tot., pour les emmanchures, former de ch. côté à 3 m. des bords, 1 dble dim. À droite, tric. 3 m. ens., et à gauche, faire 1 s.dble. Répéter cette dim. encore 2 fs ts les 4 rgs.
À (24) 27 [30] cm de haut. tot., pour l'encolure, rab. les (10) 12 [12] m. du milieu et term. ch. côté séparément, en rab. côté encolure, 1 fs (7) 8 [9] m. 2 rgs au-dessus.
À (25) 28 [31] cm de haut. tot., pour l'épaule, rabattre les (20) 21 [23] m. restantes.

• Devant droit
Monter (48) 51 [54] m. Naturel sur les aig. n° 2 1/2, et tric. 1 cm en jersey endr., puis cont. avec les aig. n° 3.
À 2 cm de haut. tot., former une boutonnière d' 1 m. à 3 m. du bord droit puis la répéter encore (3) 3 [4] fois tous les (6) 7 [6] cm.
À (14) 16 [18] cm de haut. tot., pour l' emmanchure, former à gauche, les mêmes dim. qu' au dos.
À (21) 24 [27] cm de haut. tot., pour l'encolure, rab. à droite, ts les 2 rgs, 1 fs (8) 9 [9] m., 1 fs (4) 4 [5] m., 1 fs (3) 4 [4] m., 3 fs 2 m. et 1 fs 1 m.
À (25) 28 [31] cm de haut. tot., pour l'épaule, rabattre les (20) 21 [23] m. restantes.

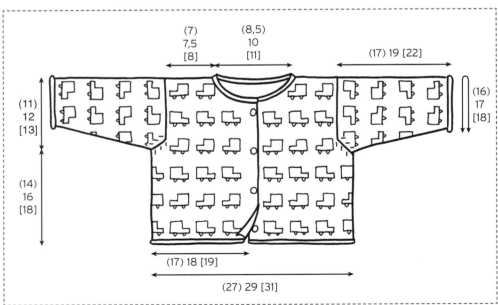

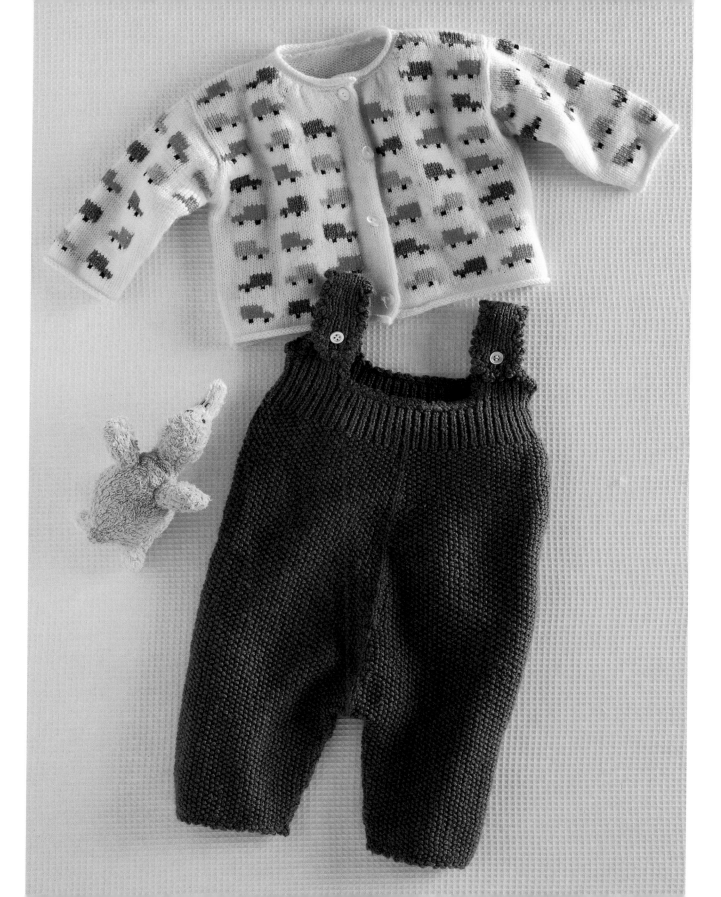

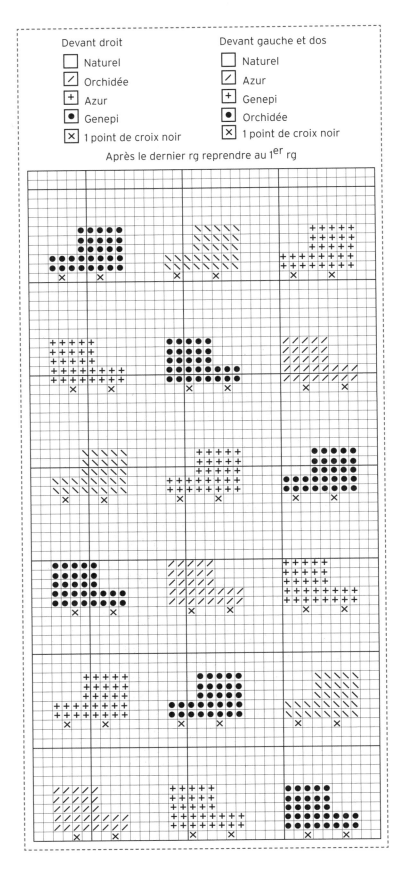

La salopette ★★

Tailles
(6 mois) 12 mois [18 mois]

Fournitures
Laines Bouton d'Or
• Qualité Baby Superwash (100 % laine - 50 g = 200 m),
coloris velouté/612.
6 mois : 150 g.
12 mois : 150 g.
18 mois : 200 g.
2 boutons.
Un crochet n° 21/2.
Aig. n° 3.

Points employés
• Aux aiguilles
Côtes 1/1 : 1 m. endr., 1 m. env.
Point de riz : tric. 1 m. endr., 1 m. env. contrariées ts les rg.
Jersey endroit : 1 r. endr., 1 r. env.
Surjet simple : glisser 1 m. sans la tric., tric. la m. suiv. à l'endr. et rab. la m. glissée sur la m. tric.
• Au crochet
Maille en l'air (ml) : faire 1 jeté que l'on passe au travers de la boucle qui est sur le crochet.
Maille coulée (mc) : piquer le crochet ds 1 m., 1 jeté, tirer pour ramener une boucle que l'on passe au travers de celle qui est sur le crochet.
Maille serrée (ms) : piquer le crochet ds 1 m., 1 jeté, tirer pour ramener une boucle, 1 jeté que l'on passe au travers des 2 boucles qui sont sur le crochet.
Picot : 1 mc ds la m. suiv., *3 ml, sauter 1 m., 1 mc ds la m. suiv.*, répéter de * à *.

Échantillon
Carré de 10 cm en point de riz avec les aig. n° 3 = 29 m. et 52 rgs.

Réalisation

• **Devant**
Commencer par la jambe droite.
Monter (30) 33 [36] m. sur les aig. et tric. en point de riz,
en augm. à droite, (2 fs 1 m. ts les 4 rgs et ts les 2 rgs, 5 fs 1 m.
et 3 fs 2 m.) 4 fs 1 m. ts les 4 rgs, et ts les 2 rgs, 5 fs 1 m.
et 2 fs 2 m. [5 fois 1 m. ts les 4 rgs, et ts les 2 rgs, 6 fs 1 m.
et 1 fs 2 m.]. Laisser en attente les (43) 46 [49] m. obtenues.

• **Devant gauche**
Il se tric. en vis-à-vis du devant droit, mais sans former les boutonnières.

• **Manches**
Monter (44) 48 [50] m. Naturel sur les aig. n° 2 1/2, et tric.
1 cm en jersey endr., puis cont. avec les aig. n° 3., en augm.
de ch. côté (6) 7 [8] fs 1 m. ts les 8 rgs.
À (15) 17 [20] cm de haut. tot., former de ch. côté à 3 m.
des bords, 1 dble dim. Répéter cette dim. encore 1 fs ts les
4 rgs et 1 fs ts les 2 rgs, puis rab. les (44) 50 [54] m. restantes.

Finitions
Broder les voitures. Sur le devant droit, commencer la 1re
à (8) 9 [11] m. du bord droit et sur le 13e rg de jersey. Broder les
voitures en vis-à-vis sur le devant gauche. Broder le dos en plaçant
la 1re voiture à (4) 7 [4] m. du bord. Sur les manches, placer une
voiture au milieu. Broder les roues d'un point de croix noir.
Fermer les épaules.
Relever avec les aig. n° 2 1/2 et le col. Naturel, (23) 25 [27] m.
sur l'encolure du devant droit, puis (25) 28 [31] m. sur l'encolure
du dos, et (23) 25 [27] m. sur le devant gauche. Tric. 1,5 cm
en jersey endr. puis rab. les m.
Monter les manches et les fermer ainsi que les côtés de la veste.
Coudre les boutons sur le devant gauche.

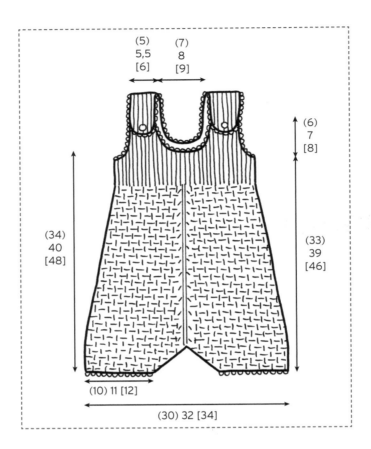

Tric. la jambe gauche en vis-à-vis, puis ajouter 1 m. à tric. tjrs en jersey endr. pour l'entrejambe, et reprendre à la suite les m. de la jambe droite.

Cont. sur les (87) 93 [99] m. obtenues en formant 1 dim. de ch. côté de la m. du milieu, à droite, par 1 s.s., et à gauche en tric. 2 m. ens., ceci (12 fs ts les 10 rgs et 1 fs 8 rgs au-dessus) 11 fs ts les 12 rgs et 2 fs ts les 10 rgs [12 fs ts les 14 rgs et 1 fs 12 rgs au-dessus].

À (29) 35 [42] cm de haut. tot., cont. en côtes 1/1.

À (33) 39 [46] cm de haut. tot., pour les emmanchures, rab. de ch. côté, ts les 2 rgs, 1 fs 3 m., 1 fs 2 m. et 1 fs 1 m.

À (34) 40 [48] cm de haut. tot., pour l'encolure, rab. les (13) 13 [15] m. du milieu et term. ch. côté séparément, en rab. côté encolure, ts les 2 rgs (1 fs 2 m. et 2 fs 1 m.) 1 fs 2 m. et 3 fs 1 m. [2 fs 2 m. et 2 fs 1 m.].

À (38) 45 [53] cm de haut. tot., rab. de ch. côté, 2 fs 2 m. ts les 2 rgs, puis rab. les (6) 8 [9] m. rest. de la bretelle.

• Dos

Commencer comme le devant.

À (35) 41 [49] cm de haut. tot., pour l'encolure, rab. les (13) 13 [15] m. du milieu et term. ch. côté séparément en rab. côté encolure, ts les 2 rgs (1 fs 2 m. et 2 fs 1 m.) 1 fs 2 m. et 3 fs 1 m. [2 fs 2 m. et 2 fs 1 m.].

À (46) 53 [61] cm de haut. tot., former une boutonnière d'1 m. au milieu.

À (47) 54 [62] cm de haut. tot., rab. de ch. côté, 2 fs 2 m. ts les 2 rgs, puis rab. les (6) 8 [9] m. rest. de la bretelle.

Finitions

Fermer les côtés et les jambes.

Crocheter le picot au bord des jambes, des emmanchures, des bretelles et de l'encolure.

Coudre les boutons sur les bretelles du devant.

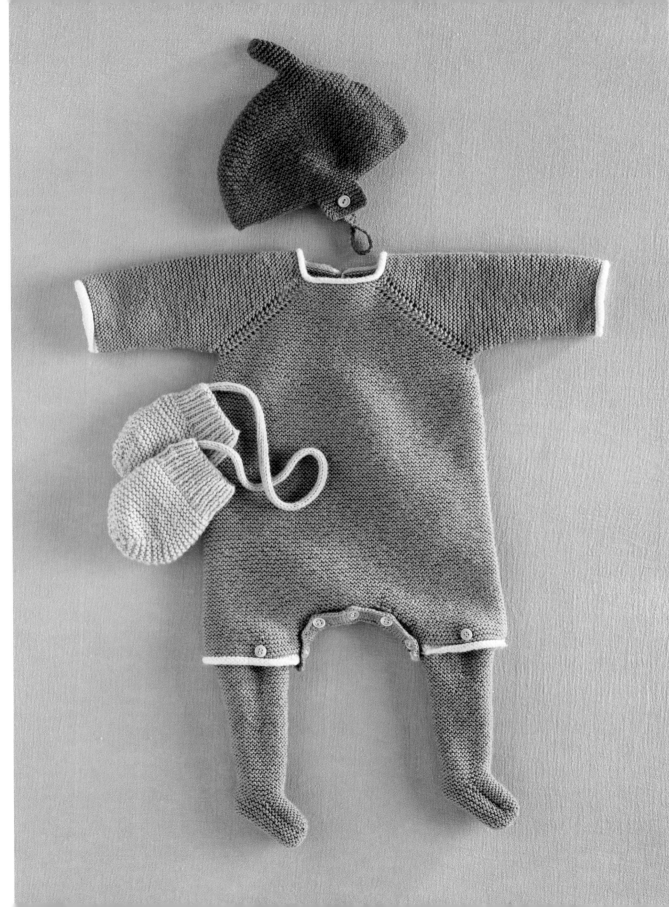

les habits du dimanche

les habits du dimanche

Grenouillère et pull tunique : une petite touche BCBG, pour les enfants très sages…

La grenouillière ★★★

Tailles
(Naissance) 3 mois [6 mois]

Fournitures
Laines Anny Blatt :
• Qualité Baby Blatt (100 % pure laine − 50 g = 180 m),
coloris Glacier/231 et Naturel/380.
Naissance : 150 g Glacier et quelques g Naturel.
3 mois : 150 g Glacier et quelques g Naturel.
6 mois : 200 g Glacier et quelques g Naturel.
8 petits boutons.
Aig. n° 3 et 3 1/2.

Points employés
Jersey endroit : 1 rg endr., 1 rg env.
Point mousse : tric. ts les rgs à l'endr.
Augmentation : tric. 1 m. torse en piquant l'aig. sous le fil
qui relie 2 m.

Échantillon
Carré de 10 cm en point mousse avec les aig. n° 3 = 28 m. et 56 rgs.

Réalisation
Commencer par l'encolure.
Monter (44) 60 [68] m. Naturel sur les aig. n° 3 1/2 et tric.
6 rgs en jersey endr., puis cont. en point mousse avec les aig.
n° 3 et le coL Glacier. Tric. 2 rgs, puis commencer les augm. des
raglans ainsi : tric. (6) 8 [9] m. pour le dos droit, 1 jeté,
2 m., 1 jeté, (6) 10 [12] m. pour la manche droite, 1 jeté, 2 m.,
1 jeté, (12) 16 [18] m. pour le devant, 1 jeté, 2 m., 1 jeté, (6) 10 [12]
m. pour la manche gauche, 1 jeté, 2 m., 1 jeté, et (6) 8 [9] m. pour
le dos gauche. Sur l'env. du trav., tric. les m. et les jetés à l'endr.
Répéter ces augm. encore (20) 21 [23] fois ts les 2 rgs, en les
plaçant tjrs de ch. côté des 2 m. On obtient (212) 236 [260] m.
Commencer le dos droit. Tric. 4 cm sur les (28) 31 [34] premières
m. (laisser les m. rest. en attente), en augm. à gauche, 4 fs 1 m. ts
les 4 rgs, puis laisser les m. en attente. Pour le dos gauche,
reprendre les (28) 31 [34] dern. m. et le tric. en vis-à-vis,
puis reprendre à la suite les m. du dos droit, et cont. droit.
À (29) 32 [35] cm de haut. de point mousse, commencer la jambe
droite. Tric. sur les (27) 30 [33] prem. m., en dim. à gauche, 5 fs
1 m. ts les 2 rgs, puis tric. (2) 3 [4] cm en point mousse, puis en
jersey, 2 rgs, et 4 rgs Naturel et rab. les m. très souplement.

Laisser les 10 m. suiv. en attente, et tric. la jambe gauche en vis-
à-vis, sur les (27) 30 [33] dern. m.
Pour la manche droite, reprendre les (50) 56 [62] prem. m.
en attente et tric. en dim. de ch. côté, (4 fs 1 m. ts les 14 rgs)
6 fs 1 m. altern. ts les 10 et 12 rgs [4 fs 1 m. ts les 10 rgs et 3 fs
1 m. ts les 12 rgs].
À (9) 11 [13] cm de haut. depuis le raglan, tric. en jersey, 2 rgs
Glacier, 4 rgs Naturel puis rab. les m.
Pour le devant, reprendre les (56) 62 [68] suiv. et tric.
en augm. de ch. côté, 4 fs 1 m. ts les 4 rgs.
À (29) 32 [35] cm de haut. de point mousse, tric. les jambes
comme au dos.
Tric. la 2e manche comme la 1re sur les (50) 56 [62] m. rest.
Relever avec le col. Glacier et les aig. n° 3, (19) 22 [25] m.
sur le bord de la jambe droite du dos, puis reprendre les 10 m.
de l'entrejambe et relever (19) 22 [25] m. sur la 2e jambe. Tric.
1 cm en jersey, en formant au milieu, 5 boutonnières de 2 m., la
1re à (3) 4 [3] m. du bord, et les suiv. espacées de (8) 9 [11] m.
Tric. la même bordure sur le devant, mais sans former les
boutonnières.

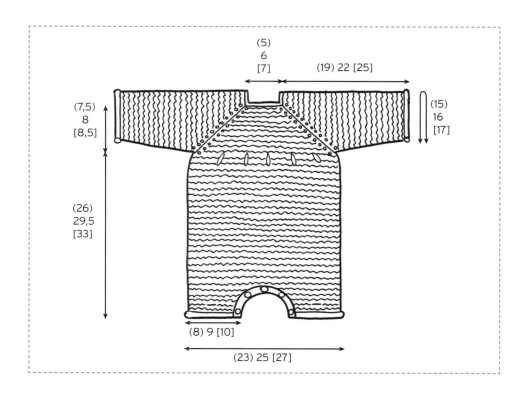

(5)
6
[7]

(19) 22 [25]

(7,5)
8
[8,5]

(15)
16
[17]

(26)
29,5
[33]

(8) 9 [10]

(23) 25 [27]

Finitions

Fermer les manches et les côtés.

Broder 3 brides sur le bord droit de la fente du dos et coudre les boutons en vis-à-vis.

Coudre les boutons sur l'entrejambe du devant.

Les chaussettes ★★★

Tailles

(Naissance) 3 mois [6 mois]

Fournitures

Laines Anny Blatt :
• Qualité Baby Blatt (100 % pure laine − 50 g = 180 m), coloris Glacier/231.

Naissance : 30 g.

3 mois : 35 g.

6 mois : 40 g.

4 petits boutons.

Aig. n° 3.

Point employé

Point mousse : tric. ts les rgs à l'endr.

Échantillon

Carré de 10 cm en point mousse avec les aig. n° 3 = 29 m. et 62 rgs.

Réalisation

Monter (49) 55 [61] m. sur les aig. et tric. en point mousse en dim. de ch. côté, 10 fs 1 m. altern. ts les 6 et 8 rgs.

À 13 cm de haut. tot., laisser les (10) 12 [14] m. de ch. côté en attente et ne cont. que sur les (9) 11 [13] m. du milieu pour le dessus de pied. Tric. (4) 5 [6] cm puis laisser les m. en attente.

Tric. les (10) 12 [14] m. en attente du 1er côté, puis relever à la suite (12) 14 [17] m. sur le bord du dessus du pied, reprendre les (9) 11 [13] m., relever (12) 14 [17] sur le 2e bord et tric. les (10) 12 [14] m. du 2e côté. Tric. 2,5 cm en point mousse sur les (53) 63 [75] m. obtenues, puis rab. les m.

Fermer la chaussette.

Coudre un bouton sur la couture du dos et un autre au milieu du devant.

Tric. un 2e chausson sembl.

Accrocher les chaussettes dans le bas de la grenouillère en passant les boutons entre 2 m.

Les moufles bleues ★

Fournitures

Laines Anny Blatt :
• Qualité Baby Blatt (100 % laine − 50 g = 180 m), coloris Myosotis/358.
3 à 6 mois : 30 g.
Aig. n° 3.

Points employés

Point mousse : tric. ts les rgs à l'endr.
Côtes 1/1 : 1 m. endr., 1 m. env.

Échantillons

Carré de 10 cm en point mousse avec les aig. n° 3 = 26 m. et 52 rgs.

Réalisation

Monter 40 m. sur les aig. et tric. 3 cm en côtes 1/1, puis cont. en point mousse.

À 7 cm de haut. tot., comm. les dim. ainsi : tric. 2 m., 2 m. ens., 12 m., 2 m. ens., 4 m., 2 m. ens., 12 m., 2 m. ens. et 2 m. Répéter ces dim. encore 6 fs ts les 2 rgs, en les plaçant les unes au-dessus des autres. Couper le fil, le passer dans les 12 m. rest. et serrer pour fermer. Fermer la moufle.
Tric. une 2ᵉ moufle sembl.
Monter 5 m. pour le lien, puis tric. 40 cm en jersey endr. et rab. les m.
Coudre chaque extrémité du lien sur une moufle.

Le bonnet bleu ★

Tailles

(Naissance) 3 mois [6 mois]

Fournitures

Laines Bouton d'Or :
• Qualité Baby Superwash (100 % laine − 50 g = 200 m), coloris brume/064.
Naissance : 20 g.
3 mois : 30 g.
6 mois : 30 g.
1 bouton.
Aig. n° 3.

Point employé

Point mousse : tric. ts les rgs à l'endr.

Échantillon

Carré de 10 cm en point mousse avec les aig. n° 3 = 29 m. et 62 rgs.

Réalisation

Commencer par les pattes.
Monter 13 m. sur les aig. et tric. 2,5 cm en point mousse, en formant à mi-hauteur, une boutonnière d' 1 m. au milieu. Laisser les m. en attente.
Tric. une 2ᵉ patte sembl. sans former la boutonnière.
Pour le bonnet, monter (22) 24 [27] m. sur les aig., reprendre les m. de la 1ʳᵉ patte, monter (48) 51 [57] m., reprendre les m. de la 2e patte, et monter (22) 24 [27] m. Tric. en point mousse sur les (118) 125 [137] m. obtenues.
À (6) 7 [8] cm de haut. du bonnet, comm. les dim. Tric. (8) 9 [10] m., *2 m. ens., (18) 19 [21] m.*, répéter de * à * 5 fs au total, 2 m. ens. et (8) 9 [10] m. Répéter ces dim. encore (17) 18 [20] fs tous les 2 rgs. Tric. 5 cm en point mousse sur les (10) 11 [11] m. rest. puis les rab.

Fermer le bonnet et nouer le haut.
Relever 4 m. sur la patte sans boutonnières, tric. 12 cm au point mousse et rab. Coudre le bouton à l'extrémité de cette bande

La robe ★★

Tailles
(3 mois) 6 mois [12 mois]

Fournitures
Laines Anny Blatt :
• Qualité 100 % Cachemire (100 % cachemire – 25 g = 92 m), coloris Fauve/221 et Navy/389.
3 mois : 100 g Fauve et quelques g Navy.
6 mois : 125 g Fauve et quelques g Navy.
12 mois : 125 g Fauve et quelques g Navy.
3 petits boutons.
Aig. n° 3.

Points employés
Jersey endroit : 1 rg endr., 1 rg env.
Point mousse : tric. ts les rgs à l'endr.
Surjet simple (s.s.) : glisser 1 m. sans la tric., tric. la m. suiv. à l'endr. et rab. la m. glissée sur la m. tric.

Échantillon
Carré de 10 cm en point mousse avec les aig. n° 3 = 27 m. et 40 rgs.

Réalisation

• Devant
Monter (74) 78 [84] m. Navy sur les aig. et tric.3 rgs en point mousse, puis cont. en jersey endr.
À (20,5) 24,5 [28,5] cm de haut. tot., répart. 14 dim. sur le rg ainsi : (3) 5 [8] m., *2 m. ens., 3 m.*, répéter de * à * 14 fs au total, et (1) 3 [6] m.
À (21) 25 [29] cm de haut. tot., pour les raglans, former de ch. côté, à 3 m. des bords, 11 fs 1 dim. tous les 2 rgs, puis pour la taille 6 mois, 1 dim. 4 rgs au-dessus, et pour la taille 12 mois, 2 fs 1 dim. ts les 4 rgs. À droite, tric. 2 m. ens., et à gauche, faire 1 s.s.
À (24,5) 29,5 [34,5] cm de haut. tot., pour l'encolure, rab. les (12) 14 [18] m. du milieu et term. ch. côté séparément, en rab., ts les 2 rgs, 3 fs 3 m., puis les 4 m. rest.

• Dos
Commencer comme le devant.

À (21) 25 [29] cm de haut. tot., pour les raglans, former de ch. côté, à 3 m. des bords, 14 fs 1 dim. tous les 2 rgs, puis pour la taille 6 mois, 1 dim. 4 rgs au-dessus, et pour la taille 12 mois, 2 fs 1 dim. ts les 4 rgs.
À (28) 33 [38] cm de haut. tot., soit après la dern. dim des raglans, rab. les (32) 34 [38] m. rest.

• Manche droite
Monter (40) 43 [46] m. Fauve sur les aig., et tric. 3 rgs en point mousse, puis en augm. de ch. côté, (4 fs 1 m. ts les 6 rgs et 2 fs 1 m. ts les 8 rgs) 5 fs 1 m. ts les 6 rgs et 2 fs 1 m. ts les 8 rgs [5 fs 1 m. ts les 6 rgs et 3 fs 1 m. ts les 8 rgs], tric. 1 cm en jersey endr., 2 rgs en point mousse Navy, et cont. en jersey endr. Fauve.
À (11)13 [16] cm de haut. tot., pour les raglans, former à droite, les mêmes dim. qu'au devant, et à gauche, les mêmes qu'au dos.
À (16,5) 19,5 [22,5] cm de haut. tot., après la dern. dim. de droite, rab. à droite, ts les 2 rgs, 3 fs (9) 10 [11] m.

• Manche gauche
Elle se tric. en vis-à-vis de la manche droite.

Finitions
Monter les manches par des coutures à 1 m. des bords, mais en cousant le raglan gauche du devant sur seulement 4 cm.

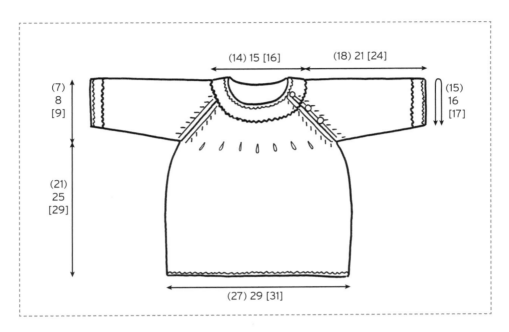

(14) 15 [16]   (18) 21 [24]

(7)
8
[9]

(15)
16
[17]

(21)
25
[29]

(27) 29 [31]

Relever avec le col. Fauve et les aig., (37) 39 [43] m. sur l'encolure du devant, puis (25) 28 [31] m. sur la manche, (30) 32 [36] m. sur l'encolure du dos et (26) 29 [32] m. sur la 2e manche. Tric. 2 rgs endr. col. Navy, en répart. sur le 1er rg, 5 dim. sur ch. morceau. Sur les manches, faire la 1re à (4) 3 [3] m. du bord et les suiv. espacées de (2) 3 [4] m. Sur le dos, faire la 1re à (2) 3 [3] m. du bord, et les suiv. espacées de (4) 4 [5] m., sur le devant, faire la 1re à (3) 4 [4] m. et les suiv. espacées de (5) 5 [6] m. Cont. en jersey endr. sur les (98) 108 [122] m. rest. avec le col. Fauve. Tric. 4 rgs, puis 3 rgs en point mousse en répart. au 1er rg, (32) 35 [40] dim., en tric. 1 m., 2 m. ens., sur tout le rg. Rab. les (66) 73 [82] m. rest.
Fermer les manches et les monter.
Broder 3 brides sur le raglan de la manche et coudre les boutons en vis-à-vis sur le devant.

Le bonnet rose

Fournitures

Laines Bouton D'Or :
• Qualité Baby Blatt (100 % laine – 50 g = 200 m), coloris Rose/504.
3 à 6 mois : 40 g.
Un bouton.
Un crochet n° 3.
Aig. n° 4 1/2.

Points employés

Point mousse : tric. ts les rgs à l'endr.
Côtes 1/1 : 1 m. endr., 1 m. env.
Maille en l'air (ml) : faire 1 jeté que l'on passe au travers de la boucle qui est sur le crochet.
Maille coulée : (mc) : piquer le crochet ds 1 m., 1 jeté, tirer pr ramener une boucle que l'on passe au travers de celle qui est sur le crochet.
Maille serrée (ms) : piquer le crochet ds 1 m., 1 jeté, tirer pr ramener une boucle, 1 jeté que l'on passe au travers des 2 boucles qui sont sur le crochet.
Demi-bride (dB) : 1 jeté, piquer le crochet ds 1 m., 1 jeté, tirer pr ramener une boucle, 1 jeté que l'on passe au travers des 3 boucles qui sont sur le crochet
Bride (B) : 1 jeté, piquer le crochet ds 1 m., 1 jeté, tirer pr ramener une boucle, 1 jeté que l'on passe au travers des 2 prem. boucles sur le crochet, 1 jeté que l'on passe au travers des 2 boucles rest.

Échantillon

Carré de 10 cm en point mousse avec les aig. n° 4 1/2 et le fil utilisé en double = 18 m. et 32 rgs.

Réalisation

Le bonnet est entièrement tric. avec le fil en double.
Monter 60 m. avec le fil en double sur les aig. et tric. 2 cm en côtes 1/1, puis cont. en point mousse.
À 10 cm de haut. tot., comm. les dim. ainsi : tric. 4 m., *3 m. ens., 10 m.*, répéter de *à *4 fois au total, puis 3 m. ens. et

1 m. Répéter ces dim. encore 4 fs ts les 4 rgs, en les plaçant les unes au-dessus des autres. Couper le fil, le passer dans les 10 m. rest. et serrer pour fermer.

Monter 5 m. pour le lien, puis tric. 11 cm en côtes 1/1, former une boutonnière d' 1 m. au milieu, tric. encore 1 cm et rab. les m.

Crocheter la fleur. Faire une chaînette de 6 ml sur le crochet et la fermer en rond par 1 mc, puis 1er rg : 1 ml, *1 ml, 1 ms ds le rond, répéter de * à * 4 fs au total, 1 ml et 1mc ds la 1re ml. 2e rg : 1 ml, * 1 ms, 1 dB, 3 B, 1 dB et 1 ms ds chaque ml., 1mc ds la ml du début. Couper le fil et le rentrer.

Fermer le bonnet.

Coudre le lien au milieu d'un côté du bonnet et fixer la fleur.

Coudre le bouton en vis-à-vis sur le 2e côté du bonnet.

Les chaussons

Tailles
3 mois (6 mois)

Fournitures
Laines Bouton D'or :
• Qualité Baby Superwash (100 % laine 50 g = 200 m), coloris Rose/504 et Gris/1002.
3 à 6 mois : 40 g.

Un bouton.
Un crochet n° 3.
Aig. n° 3.

Points employés
Point mousse : tric. ts les rgs à l'endr.
Côtes 1/1 : 1 m. endr., 1 m. env.
Maille en l'air (ml) : faire 1 jeté que l'on passe au travers de la boucle qui est sur le crochet.
Maille coulée (mc) : piquer le crochet ds 1 m., 1 jeté, tirer pr ramener une boucle que l'on passe au travers de celle qui est sur le crochet.
Maille serrée (ms) : piquer le crochet ds 1 m., 1 jeté, tirer pr ramener une boucle, 1 jeté que l'on passe au travers des 2 boucles qui sont sur le crochet.
Demi-bride (dB) : 1 jeté, piquer le crochet ds 1 m., 1 jeté, tirer pr ramener une boucle, 1 jeté que l'on passe au travers des 3 boucles qui sont sur le crochet

Échantillon
Carré de 10 cm en point mousse avec les aig. n° 3 = 29 m. et 62 rgs.

Réalisation
Monter 39 (47) m. Rose sur les aig. et tric. 10 cm en côtes 1/1, en comm. par 1 m. env., puis laisser les 14 (16) m. de ch. côté en attente et ne cont. que sur les 11 (15) m. du milieu pour le dessus du pied. Tric. 2,5 (3) cm, puis 6 rgs en point mousse Gris et laisser les m. en attente. Tric. avec les aig. et le col. Gris, les 14 (16) m. en attente, puis relever 9 (11) m. sur le côté du dessus du pied, reprendre les 11 (15) m., relever 9 (11) m. sur le 2e côté et tric. les 14 (16) m. Tric. 2 cm en point mousse sur les 57 (69) m. obtenues, puis cont. en formant de ch. côté et de ch. côté des 3 m. du milieu, 5 fs 1 dim. ts les 2 rgs. Rab. les 37 (49) m. rest.

Fermer le chausson. Faire pour la bride, avec le crochet et le col. Gris, 1 rg de ms tout autour du chausson sur la 6e côte mousse en partant du haut.

Faire 1 rg en ms sur le rg Gris au-dessous des côtes sur les 14 (16) m. de ch. côté de la couture, puis faire à la suite une chaînette de 19 ml, tourner, et faire 1 dB ds la 7e ml depuis le crochet, puis dans les ml et les ms suiv. Couper le fil et le rentrer.

Coudre le bouton à l'extrémité de la bride.

Crocheter un 2e chausson sembl. mais en crochetant la bride en vis-à-vis.

Réalisation

Monter 40 m. sur les aig. et tric. 3 cm en côtes simples, puis cont. en point mousse.

À 7 cm de haut. tot., comm. les dim. ainsi : tric. 2 m., 2 m. ens., 12 m., 2 m. ens., 4 m., 2 m. ens., 12 m., 2 m. ens. et 2 m. Répéter ces dim. encore 6 fs ts les 2 rgs, en les plaçant les unes au-dessus des autres. Couper le fil, le passer dans les 12 m. rest. et serrer pour fermer.

Fermer la moufle.

Tric. une 2ᵉ moufle sembl.

Monter 5 m. pour le lien, puis tric. 40 cm en jersey endr. et rab. les m.

Coudre chaque extrémité du lien sur une moufle.

Les moufles roses

Fournitures

Laines Anny Blatt :
• Qualité Baby Blatt (100 % laine - 50 g = 200 m),
coloris Coquillage/118.
3 à 6 mois : 30 g.
Aig. n° 3.

Points employés

Point mousse : tric. ts les rgs à l'endr.
Côtes 1/1 : 1 m. endr., 1 m. env.

Échantillon

Carré de 10 cm en point mousse avec les aig. n° 3 = 26 m. et 52 rgs.

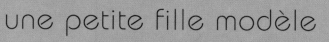

une petite fille modèle

une petite fille modèle

Des couleurs toutes douces pour ces modèles classiques relevés de détails raffinés.

Le pantalon ★

Tailles
(3 mois) 6 mois [12 mois]

Fournitures
Laines Bouton d'Or :
• Qualité Baby Superwash (100 % laine – 50 g = 200 m), coloris Rosée/513 et Glacier/231.
3 mois : 150 g Rosée et quelques g Glacier.
6 mois : 150 g Rosée et quelques g Glacier.
12 mois : 200 g Rosée et quelques g Glacier.
(40) 44 [46] cm d'élastique de 2 cm de large.
Aig. n° 3.

Points employés
Jersey endroit : 1 rg endr., 1 rg env.
Augmentation : tric. 1 m. torse en piquant l'aig. sous le fil qui relie 2 m.

Échantillon
Carré de 10 cm en jersey endr. avec les aig. n° 3 = 30 m. et 40 rgs.

Réalisation

• Devant
Commencer par la jambe droite.
Monter (30) 33 [36] m. Rosée sur les aig. et tric. en jersey endr., 3 rgs Rosée, 2 rgs Glacier, 3 rgs Rosée, puis pour former l'ourlet, tric. 1 rg en prenant en même temps 1 m. de l'aig. gauche et la m. correspondante sur le rg de montage. Cont. en Rosée en augm. à 1 m. des bords, à droite, (10 fs 1 m. ts les 6 rgs) 10 fs 1 m. altern. ts les 6 et 8 rgs [10 fs 1 m. ts les 8 rgs], et à gauche, pour les 3 tailles, 10 fs 1m. ts les 2 rgs.
À (18) 21 [24] cm de haut. tot., laisser les (50) 53 [56] m. obtenues en attente.
Tric. la jambe gauche en vis-à-vis, puis reprendre à la suite les m. de la jambe droite. Cont. sur les (100) 106 [112] m. obtenues.
À (35) 39 [43] cm de haut. tot., tric. 1 rg en répart. (16) 17 [18] dim. ainsi : tric. 4 m., *2 m. ens., 4 m.*, répéter de * à * 16 fois. Cont. droit sur les (84) 89 [94] m. rest. Tric. 6 cm puis rab. les m.

• Dos
Il se tric. comme le devant.

Finitions
Fermer les côtés et les jambes.
Faire un ourlet en haut du pantalon de 3 cm en insérant l'élastique.

La robe ★★

Tailles
(3 mois) 6 mois [12 mois]

Fournitures
Laines Bouton d'Or :
• Qualité Baby Superwash (100 % laine – 50 g = 200 m), coloris Rosée/513 et Glacier/231.
3 mois : 150 g Rosée et quelques g Glacier.
6 mois : 200 g Rosée et quelques g Glacier.
12 mois : 200 g Rosée et quelques g Glacier.
Une pression.
Aig. à 2 pointes n° 3.
Aig. n° 3.

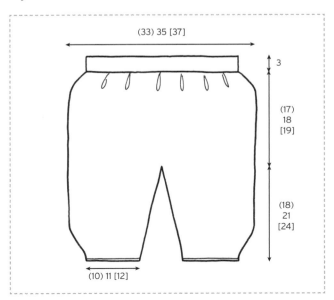

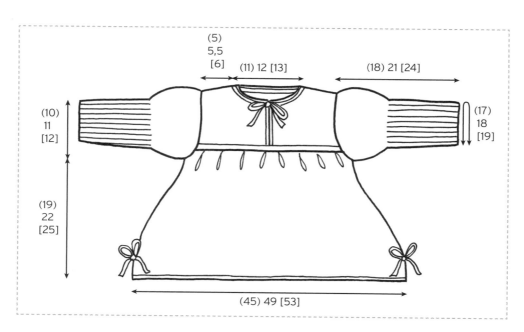

Points employés

Jersey endroit : 1 rg endr., 1 rg env.
Côtes 2/2 : 2 m. endr., 2 m. env.

Échantillon

Carré de 10 cm en jersey endr. avec les aig. n° 3 = 30 m.
et 40 rgs.

Réalisation

• Devant

Monter (134) 146 [158] m. Rosée sur les aig. et tric. en jersey endr.,
3 rgs Rosée, 2 rgs Glacier, 3 rgs Rosée, puis pour former l'ourlet,
tric. 1 rg en prenant en même temps 1 m. de l'aig. gauche
et la m. correspondante sur le rg de montage. Cont. en Rosée.
À (19) 22 [25] cm de haut. tot., pour les emmanchures, rab.
de ch. côté, ts les 2 rgs, 1 fs 3 m., 1 fs 2 m. et 1 fs 1 m.
À (20) 23 [26] cm de haut. tot., répart. (60) 66 [72] dim. sur
1 rg ainsi : tric. 1 m., puis *glisser 3 m. sur une aig. à 2 pointes
que l'on place derrière le trav., et tric. ens. à l'endr., 1 m. de l'aig.
gauche et 1 m. en attente, glisser 3 m. sur une aig. à 2 pointes
que l'on place devant le trav., et tric. ens. à l'endr., 1 m. en attente
et 1 m. de l'aig. gauche*, répéter de * à * (10) 11 [12] au total,

et 1 m. endr. Tric. 9 rgs, puis pour le bourrelet, tric. 1 rg en
piquant l'aig. dans 1 m. de l'aig. gauche et en même temps dans
la m. correspondante 9 rgs plus bas. Tric. 1 rg, puis pour la fente,
rab. les 2 m. du milieu et term. ch. côté séparément.
À (5,5) 6,5 [7,5] cm de haut. depuis le bourrelet, pour l'encolure,
laisser en attente, côté encolure, ts les 2 rgs, 1 fs (10) 11 [12] m.,
1 fs (2) 3 [3] m. et 3 fs 1 m.
À (29) 33 [37] cm de haut. tot., pour l'épaule, rab. ts les 2 rgs,
(3 fs 5 m.) 2 fs 5 m. et 1 fs 6 m. [3 fs 6 m.].

• Dos

Commencer comme le devant mais sans former la fente.
À (29) 33 [37] cm de haut. tot., former en même temps
les épaules et l'encolure. Pour les épaules, rab. de ch. côté,
ts les 2 rgs, (3 fs 5 m.) 2 fs 5 m. et 1 fs 6 m. [3 fs 6 m.], et pour
l'encolure, laisser en attente les (20) 24 [26] m. du milieu
et term. ch. côté séparément en laissant en attente, côté
encolure, ts les 2 rgs, 1 fs 4 m., et 1 fs 2 m.

• Manche

Monter (52) 54 [58] m. Rosée sur les aig., et tric. en côtes 2/2,
en augm. de ch. côté (6 fs 1 m. ts les 8 rgs) 8 fs 1 m. altern.
ts les 6 et 8 rgs [9 fs 1 m. ts les 8 rgs].

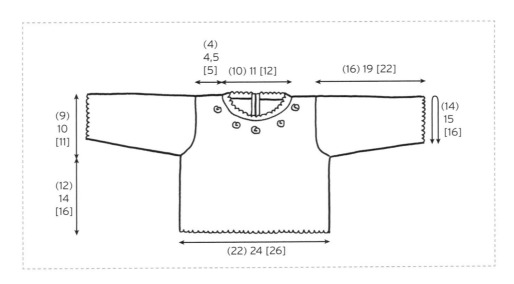

(4)
4,5
[5]

(10) 11 [12]

(16) 19 [22]

(9)
10
[11]

(14)
15
[16]

(12)
14
[16]

(22) 24 [26]

En même temps, à (11) 12 [13] cm de haut. tot., cont. en jersey endr.
À (13) 16 [19] cm de haut. tot., rab. de ch. côté, ts les 2 rgs, 1 fs
4 m., 1 fs (2) 3 [3] m., 7 fs 2 m., 1 fs (3) 3 [4] m. puis les (18) 22
[26] m. restantes.

Finitions

Fermer les épaules et les côtés de la robe.
Relever avec le col. Rosée et les aig., 18 m. sur un côté de la
fente, et tric. en jersey endr., 1 rg, puis 2 rgs Glacier, 2 rgs Rosée

et rab. les m. Tric. la même bordure sur le 2e côté, puis les replier
en deux sur l'envers et les coudre à petits points glissés.
Reprendre, avec les aig. à 2 pointes et le col. Rosée, les (15)
17 [18] m. de l'encolure du devant, puis les (32) 36 [38] m. du dos
et les (15) 17 [18] m. du devant. Tric. en jersey, 1 rg Rosée, 2 rgs
Glacier et 2 rgs Rosée, puis rab. les m. Replier la bordure sur
l'env. et la coudre.
Fermer les manches et les monter.
Pour chacun des 3 nœuds, monter 68 m. Glacier sur les aig.
et tric. 1 rg en rab. les m. Faire un petit nœud avec chacun des liens
et en coudre un sur chaque côté de la robe, à 5 cm du bas, et le
3e à la pointe de l'encolure. Coudre la pression au bord de la fente.

Le pull ★

Tailles

(3 mois) 6 mois [12 mois]

Fournitures

Laines Bouton d'Or :
• Qualité Baby Superwash (100 % laine - 50 g = 200 m),
coloris Naturel/380.
3 mois : 100 g.
6 mois : 100 g.
12 mois : 100 g.
35 cm de ruban de satin coloris gris clair en 1 cm de large.
Une pression.
Aig. à 2 pointes n° 3.
Aig. n° 3.

Points employés

Jersey endroit : 1 rg endr., 1 rg env.

Picot : 1er rg : 1 m. endr., *1 jeté, 2 m. ens. à l'endr.*, répéter de * à *, 1 m. endr. 2e rg : tric. les m. et les jetés à l'env.

Échantillon

Un carré de 10 cm en jersey endr. avec les aig. n° 3 = 30 m. et 40 rgs.

Réalisation

• Devant

Monter (66) 72 [78] m. sur les aig., et tric. 2 rgs en jersey endr., puis les 2 rgs du picot et cont. en jersey endr.

À (13) 15 [17] cm de haut. tot., pour les emmanchures, rab. de ch. côté, ts les 2 rgs, 1 fs 3 m., 1 fs 2 m. et 1 fs 1 m.

À (18) 21 [24] cm de haut. tot., pour l'encolure, rab. les (8) 12 [14] m. du milieu et term. ch. côté séparément en rab. côté encolure, ts les 2 rgs, 2 fs 3 m., 1 fs 2 m. et 3 fs 1 m.

À (22) 25 [28] cm de haut. tot., pour l'épaule, rab. les (12) 13 [15] m. rest.

• Dos

Commencer comme le devant.

À (17) 20 [23] cm de haut. tot., pour la fente, rab. les 2 m. du milieu et term. ch. côté séparément.

À (21,5) 24,5 [27,5] cm de haut. tot., pour l'encolure, rab. côté encolure, 1 fs 10 m., et 1 fs (4) 6 [7] m. 2 rgs au-dessus.

À (22) 25 [28] cm de haut. tot., pour l'épaule, rab. (12) 13 [15] m. rest.

• Manches

Monter (42) 44 [48] m. sur les aig., et tric. 2 rgs en jersey endr., puis les 2 rgs du picot et cont. en jersey endr. en augm. de ch. côté (6 fs 1 m. ts les 8 rgs) 8 fs 1 m. altern. ts les 6 et 8 rgs [9 fs 1 m. ts les 8 rgs].

À (15) 18 [21] cm de haut. tot., rab. de ch. côté, ts les 2 rgs, 4 fs 2 m. puis les (38) 44 [50] m. restantes.

Flinitions

Fermer les épaules et les côtés du pull.

Relever avec les aig., (72) 80 [88] m. au bord de l'encolure, et tric. 2 rgs en jersey endr., puis les 2 rgs du picot, 3 rgs en jersey endr. et rab. les m. Replier cette bordure sur l'env. et la coudre à petits points glissés.

Relever avec les aig., 19 m. sur un côté de la fente du dos, et tric. 6 rgs en jersey endr. puis rab. les m. Tric. la même bordure sur le 2e côté, puis les replier en deux sur l'envers et les coudre à petits points glissés.

Coudre la pression sur les bords de la fente.

Monter les manches et les fermer.

Faire l'ourlet dans le bas du pull et des manches.

Couper le ruban en 5, puis faire un nœud avec chaque morceau et les coudre au bord de l'encolure du devant.

La brassière ★★

Tailles

(3 mois) 6 mois [12 mois]

Fournitures

Laines Bouton d'Or, qualité Baby Superwash (100 % laine - 50 g = 200 m), coloris Naturel/380 et Rosée/513.

3 mois : 100 g Naturel et quelques g Rosée.

6 mois : 100 g Naturel r et quelques g Rosée.

12 mois : 150 g Naturel et quelques g Rosée.

3 pressions.

Aig. n° 3.

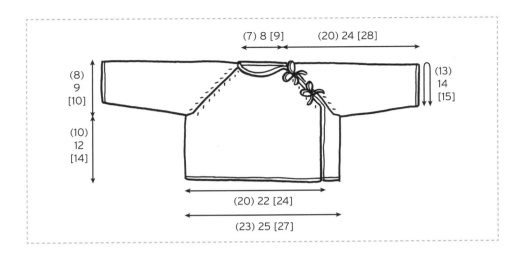

Points employés

Jersey endroit : 1 rg endr., 1 rg env.

Surjet simple (s.s.) : glisser 1 m. sans la tric., tric. la m. suiv. à l'endr. et rab. la m. glissée sur la m. tric.

Surjet double (s. dble) : glisser 1 m. sans la tric., tric. 2 m. ens. à l'endr. et rab. la m. glissée sur la m. obtenue.

Échantillon

Carré de 10 cm en jersey endr. avec les aig. n° 3 = 30 m. et 40 rgs.

Réalisation

• Dos

Monter (69) 75 [81] m. Naturel sur les aig., et tric. en jersey endr., 3 rgs, puis 2 rgs Rosée, 3 rgs Naturel, puis pour former l'ourlet, tric. 1 rg en prenant en même temps 1 m. de l'aig. gauche et la m. correspondante sur le rg de montage. Cont. en Naturel.
À (11) 13 [15] cm de haut. tot., pour les raglans, rab. de ch. côté, 1 fs 4 m., puis former de ch. côté, ts les 2 rgs, à 1 m. des bords, (*2 fs 1 dim., 1 fs 1 dble dim.*, répéter de *à * 5 fs au total) *2 fs 1 dim., 1 fs 1 dble dim.*, répéter de *à * 5 fs au total, puis 2 fs 1 dim. [*3 fs 1 dim., 1 fs 1 dble dim.*, répéter de *à * 4 fs au total, puis 3 fs 1 dim.]. À droite, tric. 2 ou 3 m. ens., et à gauche, faire 1 s.s. ou 1 s. dble.
À (18) 21 [24] cm de haut. tot., pour l'encolure, rab. les (21) 23 [27] m. rest.

• Devant droit

Monter (60) 66 [72] m. Naturel sur les aig., puis tric. l'ourlet comme au dos, et cont. en Naturel.

À (11) 13 [15] cm de haut. tot., pour le 1er raglan, rab. à gauche, 1 fs 4 m., puis former à 1 m. du bord, ts les 2 rgs, (*2 fs 1 dim., 1 fs 1 dble dim.*, répéter de * à * 4 fs au total, et 1 fs 1 dim.) *2 fs 1 dim., 1 fs 1 dble dim.*, répéter de * à * 4 fs au total, puis 3 fs 1 dim. [*4 fs 1 dim., 1 fs 1 dble dim.*, répéter de * à * 3 fs au total, puis 2 fs 1 dim.].
À (13) 15 [17] cm de haut. tot., pour le 2e raglan, former à droite, à 1 m. du bord, ts les 2 rgs, (*1 fs 1 dim., 1 fs 1 dble dim.*, répéter de *à * 5 fs au total) *1 fs 1 dim., 1 fs 1 dble dim.*, répéter de *à * 5 fs au total, puis 2 fs 1 dim. [*2 fs 1 dim., 1 fs 1 dble dim.*, répéter de *à * 4 fs au total, 2 fs 1dim.].
En même temps, à (15,5) 18,5 [21,5] cm de haut. tot., pour l'encolure, rab. les (10) 12 [16] m. du milieu et term. ch. côté séparément en rab. côté encolure, ts les 2 rgs 2 fs 2 m., 1 fs 1 m. et les 2 m. rest. après la dern. dim. des raglans.

• Devant gauche

Il se tric. en vis-à-vis du devant gauche.

• Manche droite

Monter (40) 42 [46] m. Naturel sur les aig., puis tric. l'ourlet comme au dos, et cont. en Naturel, en augm. de ch. côté (7 fs 1 m. ts les 4 rgs) 9 fs 1 m. ts les 4 rgs [7 fs 1 m. ts les 4 rgs et 3 fs 1 m. ts les 6 rgs].
À (12) 15 [18] cm de haut. tot., pour les raglans, rab. 1 fs 4 m. de ch. côté, puis former à droite, les mêmes dim. que pour le raglan gauche du devant droit, et à gauche, les mêmes qu'au dos. Après la dern. dim. du devant, rab. à droite, ts les 2 rgs (1 fs 5 m. et 1 fs 4 m.) 1 fs 6 m. et 1 fs 5 m. [1 fs 8 m. et 1 fs 7 m.].

• Manche gauche

Elle se tric. en vis-à-vis de la manche droite.

Finitions

Monter les manches et les fermer ainsi que les côtés de la veste.
Relever (71) 83 [95] m Naturel au bord du devant droit et sur
le raglan, puis tric. 6 rgs en jersey endr. et rab. les m.
Tric. la même bordure sur le devant gauche.
Relever (73) 83 [93] m. au bord de l'encolure et des manches,
et tric. la même bordure.
Pour chacun des 2 nœuds, monter 68 m. Naturel sur les aig.
et tric. 1 rg en rab. les m. Faire un petit nœud avec chacun
des liens et les coudre sur le raglan droit du devant droit.
Coudre une pression sur l'envers du devant droit, sous
les nœuds, et en vis-à-vis sur le raglan du devant gauche.
Coudre une pression sur le bord gauche de l'encolure du
devant gauche et en vis-à-vis sur l'envers du devant droit.

Les chaussons ★★

Tailles

3 mois (6 mois)

Fournitures

Laines Bouton d'Or :
• Qualité Baby Superwash (100 % laine – 50 g = 200 m), coloris
Rosée/513, Naturel/380, Glacier/231 et Taupe/570.

Pour les 2 tailles : 10 g Rosée, Naturel et Glacier, et quelques
aiguillées Taupe.
Aig. n° 3.

Points employés

Jersey endroit : 1 rg endr., 1 rg env.
Point mousse : tric. ts les rgs à l'endr.
Picot : 1er rg : 1 m. endr., *1 jeté, 2 m. ens. à l'endr.*, répéter
de * à *, 1 m. endr. 2e rg : tric. les m. et les jetés à l'env.
Surjet simple (s.s.) : glisser 1 m. sans la tric., tric. la m. suiv.
à l'endr. et rab. la m. glissée sur la m. tric.
Broderie au point de poste : sortir l'aig. sur l'endr. du trav., puis
la repiquer quelques mm au-dessus, et la ressortir, sans la tirer,
juste à côté du point de sortie précédent. Enrouler le fil
6 ou 7 fois autour de l'aiguille, puis sortir celle-ci tout
en maintenant les boucles bien serrées. Repiquer l'aiguille
dans le même point que précédemment et le fixer sur l'envers.

Réalisation

Commencer par la semelle. Monter 6 (8) m. Glacier sur les aig.
et tric. en pt mousse en augm. de ch. côté, 3 fs 1 m. ts les 2 rgs.
À 6 (7) cm de haut. tot., dim. de ch. côté, 3 fs 1 m. ts les 2 rgs
puis rab. les m.
Monter pour le pied, 60 (66) m. Glacier sur les aig. et tric.
4 rgs en pt mousse, puis cont. en jersey endr. avec le col. Rosée.
Tric. 2 (2,5) cm puis comm. le dessus du pied. Tric.
24 (26) m., 2 m. ens., 8 (10) m., 1 s.s. et 24 (26) m. Répéter ces
dim. encore 9 (10) fs ts les 2 rgs, en les plaçant tjrs de ch. côté
des 8 (10) m. du dessus du pied. En même temps, tric. 6 rgs
en jersey endr., 4 rgs en pt mousse, puis cont. en jersey, en tric.
les m. des côtés col. Rosée, et les dim. et les 8 (10) m. du milieu
col. Naturel. Il reste 40 (44) m.
Tric. 15 (16) m. endr. (laisser les autres m. en attente), puis
ajouter à la suite 10 m. pour la barrette, tric. 3 rgs endr. sur
ces m. en rab. les 10 m. au dern. rg, et laisser les 15 (16) m. rest.
en attente. Tric. la 2e barrette en vis-à-vis sur les 15 (16) dern.
m. Puis reprendre les 10 (12) m. rest. pour le dessus du pied
et tric. 2 rgs en jersey endr. en dim. 1 m. de ch. côté au 1er rg,
et laisser les m. en attente. Reprendre ensuite le trav. sur ttes
les m. avec le col. Naturel ainsi : tric. 1 m., 2 m. ens., 6 (7) m.,
2 m. ens., 3 m., 2 m. ens., 6 (8) m., 2 m. ens., 3 m., 2 m. ens.,
6 (7) m., 2 m. ens., et 1 m. Tric. 3 cm en jersey endr. sur les 32
(36) m. rest., puis les 2 rgs du picot, 2 rgs en jersey et rab. les m.
Fermer le chausson et coudre la semelle.
Replier le haut du chausson sur l'env. et coudre à points glissés.
Coudre les 2 barrettes ensemble et broder sur le dessus 2 points
de poste Glacier et 4 Taupe.
Tric. un 2e chausson sembl.

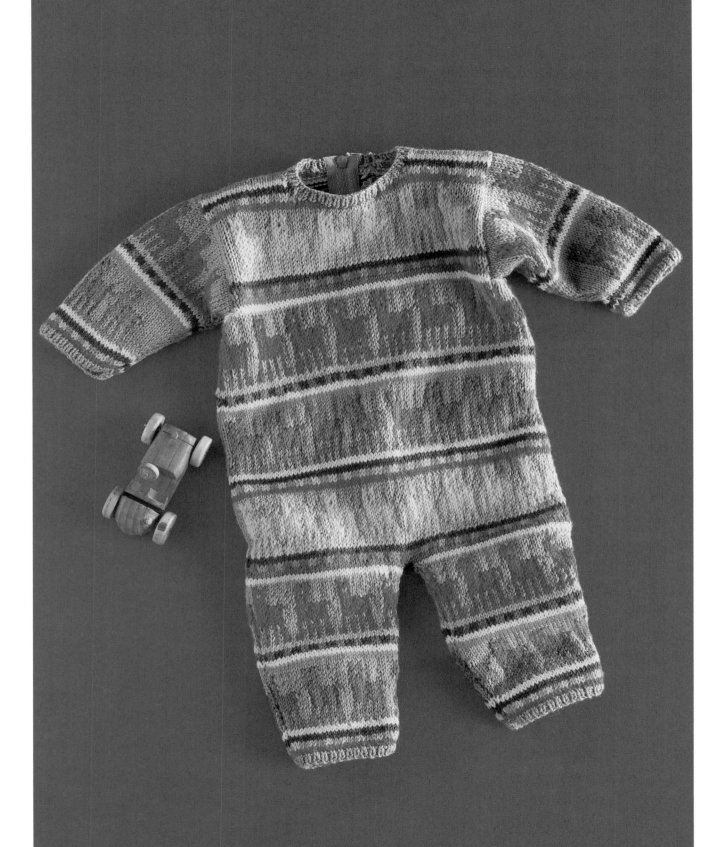

annexes

table des panoplies

La liste détaillée de tous les modèles... signés par leur créatrice.

bébés "très sages"

le tricot
chez Marabout

tricot simplissime
Debbie Bliss

bébé tricots
Debbie Bliss

tricot vintage
Sarah Dallas

chaussons de bébés
Zoé Mellor

dans la collection Marabout d'ficelle

déco lumière
Charlotte Vanier, Sophie Hélène

sacs de fille
Céline Dupuy

fée maison
Corinne Poirier

des perles et des bijoux
Nathalie Delhaye

scrapbooking
Sophie Glasser

origami
Sophie Glasser

customiser
Anne Hubert

des bijoux made by me
Swan Blanc

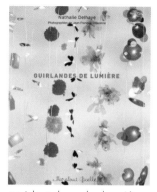

guirlandes de lumière
Nathalie Delhaye

broderie rouge
Agnès Delage-Calvet

les marquoirs d'école
Muriel Brunet, Françoise Ritz

doudous tout doux
Roudoudou

remerciements

À toutes les stylistes, qui ont donnés vie avec talent à ces panoplies : Patricia Antoine, Aline Fayet, Juliette Liétar, Dany Ribailler et Sylvie Loussier. À Véronique Linard qui, point par point, maille par maille, en a fait les explications. À Olivier Ribailler qui a réalisé les schémas. Merci également aux lainiers, Phildar, Bouton d'or et Anny Blatt, sans qui ces modèles n'existeraient pas.
Marabout remercie chaleureusement Stella Ruiz et Patricia Adrian pour leur précieuse collaboration.

muméros de téléphone "lecteurs" des lainiers
Phildar
Tél. : 03 20 99 60 39
Anny Blatt & Bouton d'or
Tél : 04 90 11 80 81

maquette : Nathalie Delhaye

Dépôt légal : 62699 – janvier 2006
ISBN 2501-045-26-2
nuart 4094694
édition 01
imprimé en Espagne par Estella Graficas